海外漢文古醫籍精選叢書·第二輯

2011—2020年國家古籍整理出版規劃項目
中國中醫科學院「十三五」第一批重點領域科研項目
——我國與「一帶一路」九國醫藥交流史研究（ZZ10-011-1）

蕭永芝◎主編

新鐫海上懶翁醫宗心領全帙 玖

（越）黎有卓 撰

北京科学技术出版社

圖書在版編目（CIP）數據

海外漢文古醫籍精選叢書・第二輯・新鐫海上懶翁醫宗心領全帙　玖/蕭永芝主編. —北京：北京科學技術出版社，2018.1

ISBN 978 – 7 – 5304 – 9230 – 7

Ⅰ. ①海…　Ⅱ. ①蕭…　Ⅲ. ①中醫典籍—越南　Ⅳ. ①R2-5

中國版本圖書館 CIP 數據核字（2017）第208306號

海外漢文古醫籍精選叢書・第二輯・新鐫海上懶翁醫宗心領全帙　玖

主　　編：蕭永芝
責任編輯：張　潔　周　珊
責任印製：李　茗
出 版 人：曾慶宇
出版發行：北京科學技術出版社
社　　址：北京西直門南大街16號
郵政編碼：100035
電話傳真：0086-10-66135495（總編室）
0086-10-66113227（發行部）　0086-10-66161952（發行部傳真）
電子信箱：bjkj@bjkjpress.com
網　　址：www.bkydw.cn
經　　銷：新華書店
印　　刷：虎彩印藝股份有限公司
開　　本：787mm × 1092mm　1/16
字　　數：418千字
印　　張：35.75
版　　次：2018年1月第1版
印　　次：2018年1月第1次印刷
ISBN 978 – 7 – 5304 – 9230 – 7/R・2391

定　　價：**980.00元**

海外漢文古醫籍精選叢書·第二輯

新鐫海上懶翁醫宗心領全帙　玖

（越）黎有卓　撰

R.1161

136

新鎸海上医宗心頌全帙卷之四十七

小引

医道至為淵博，推之萬變，散之萬殊，演繹篇章不勝蝟宂，非一言之能會，片楮之能傳。蓋方者做也，做其病而立方也。然運氣不有古今，異轍風土異宜，老少異軀貴賤異境，新久異流，内外異因，秘此方可執乎？裁加緊以不易不變之成方，欲以合至繁至乱之病症，其可得乎？昧者偶有所得，秘而不宣，誇為祖傳之方，異人之授，曾不思奇方療疾發無不中則昔者軒岐扁倉聖神之智慈濟之仁豈不及此何不無一病只立一方而乃廣為昭晰多立文詞使後人紛析難窮效無十全哉雖然方不可泥亦不可遺棄之有方猶碁之有局遂從反正方之用也殺奪節折碁之勢也故曰医者意也而意中之意不知意外之意自無窮也又曰方者法也遵法而立意也余家外祖參督相公弁冑登途能以道理自樂希迹軒岐之門深明性命之學比及出戍雄藩撫恤隸士

資糧藥餌（贈給）不靳費有吮疽之惠擊甕之能（凡也　登去聲　庥也）且蘊蓄千金索買百家私藏諸方輯成一帙彙為十二支名曰命堂吏工書者謄錄遺下家嗣大舅舅亦尋沒其書散落幾存最後余採得六七集多是壺侵茲補綴成行再廣搜於相見與已所意見集已成編著成顏之曰百家珍藏庶幾倉卒中觸幾而發以為一臂之助豈小補云乎哉

黎氏別號海上懶翁引

百家珍藏卷　目次　孟集以下

唇病　齒病　舌病　咽喉　手病　心痛

腹痛　霍亂　腰痛　脇痛　腋臭　足痿

癲疝　蟲病 外蚤牛 牢蚤　蟲獸毒 蜈公蛇 虎犬　中蟲毒 毒藥毒 物

骨鯁　折傷　救急

女科 季卷 以下　經病 血崩　帶下 廣嗣 難養　妊娠 臨產　產難 催生　死胎 產後

胞衣不下 乳癰　前陰病

兒科　初生 臍腫　夜啼 吐乳　客忤 水瀉　泄痢 慢驚　重舌 禁風

母毒 大小便閉　發痫 胎毒瘡　咳嗽 疥病　發熱 痘瘡　瘧疾 諸病

外科　諸瘡　膚瘡　癍癮疹　瘂疽　發背
　　　黑白癜　鬼射　疔毒　腋疽　癭瘤
腫毒　瘰癧　楊枝　天疱　製造藥法
下疳　痔漏　宮刺　癘風　月次終

集例　一祖傳諸方每於方首並著重圈以為誌

一余遍求諸家所得秘方者凡於方首只著单圈以為別

一著列在下欵得於家兄遊方集亦有著单圈

一祖傳方與余新得方下並詳述所傳之家與購求之札錢以知輕重

一雖係古方而內有經驗南藥一二味者與单方易於藥餌并家傳隱秘者該錄發之

集例終

百家珍藏孟卷　海上懶翁黎氏纂輯

中風　後學唐鄗武春軒奉較

一治中風諸症（花郎道徒傳）　石菖蒲（一分）　皁角（去核）　大蒜乳香　防風　苦子　蒼朮　川芎（各平分）　右各味散末糊丸桐子大雄黃為衣每服一丸小兒半丸隨湯引用列后

一中風口噤生姜湯磨服

一中風身冷（以酒磨服）

一身熱以醋磨服又外塗

一半身（不遂姜汁調青油先服後塗痛處）

一小兒驚癇簾花煎湯磨服

風濕

一神傳酒治風濕相搏并侵入骨髓血脉凝滞渾身困痺腰膝疼痛項背強急四肢麻木左癱右瘓半身不遂婦人濕痺水腫等症正和年間王親患此國医不效有一方士進此方建功旋踵奉賞銀子五十兩乃須布其方御史臺王勤公以治其家内果驗

王孫俗號芃蘩味苦平治寒濕痺兼能補虛炒三両　五加皮俗名核頭嶋味辛苦消水下痰炒二両半

南藤俗號芃蘇蘇味苦寒消痰活血炒二両　蝴蝶根俗號芃核蚯蚓味苦温消痰炒一両半

金櫻藤俗号芃荏芷味苦寒炒一両半　蓧當歸味苦温活血一両

烏菓味苦温治氣脹一両　白童男俗号核鬓皂味廿平男人用之炒一両

赤童女俗号核髮紫女人用之炒一月　牛必俗号芤鞑綽味酸平治下焦湿洗净一月炒

葛貝根俗号芤櫻苊味辛热治寒湿炒一月　黄芷藤俗号芤鞑芷味辛温消水炒二月

馬鞭草俗号鞑檄馭味苹寒炒六ク　前胡俗号芤核指天味苹寒消湿下痰五六ク

桑寄生俗号尋菠核兇味苹苦治風痺眩一月

一本無桑寄生前胡芤蕠蓗芷有治𢡿娄訶葱襖芊坦治風痛痙

右各味剉細納布袋中投酒壜内以泥封固𤉙一炷香埋土中三日夜空心量力飲之

增減式

如寒湿加桂枝乾姜各一月去前胡馬鞭金櫻　如脹満加香附木香去前胡黄芷

如脚氣水腫加木瓜大腹皮　如痰痛加半夏陳皮

如虛弱人減消導藥加萆薢　如風痺加稀薟草鶴虱草田苦菜倍當歸王孫

如血風疼痛加骨碎補俗号核祖蝎　如頭風加貫衆俗号莚蔞萠

如虛勞冷痺加石斛覆盆子　如周身痺加蒼朮或蒼耳子或葉俗号莫葹

如頭面風瘡遍身瘙痒加何首烏俗号莚祐九蒸九晒一月半

如風湿筋縮加薔薇根俗号菀尋春炒一月半　依方中加減取效無疑

一至寶凡宜與前神傳酒間服

金毛狗脊俗号莚苟驪并温治寒湿膝痛脚軟補腎虛火燎去毛細剉酒伴蒸半日晒乾八月

萆薢 俗号𦰟金剛苦平治腎冷虛弱腰痛背強寒湿困痺酒浸或塩水煮焙乾六月

骨碎補 俗号核祖蝓苦温治骨節血風痛五月採根銅刀削去毛切細盛水煎晒乾四月

石斛 俗号同呼苦平治虛勞羸瘦除脚膝冷痛疼痛酒洗蒸晒乾四月

貫衆 俗号𦰟萎蓢苦微寒治腹中邪热諸毒除頭風二八月採根陰乾去皮毛二月半

豨薟草 俗号𡖁訶一名核蔬苐苦寒能補肝腎風氣麻痺腰膝軟痛久服強健端午重陽取洗𥶄酒蒸四月

蒼耳葉 俗号莢蔬微寒治風湿困痺端午採取陰乾

牛膝 俗号芤𦳤綽苦酸平活血生用酒洗四月

五加皮 俗号核頭鳩苦辛治風痺炒用四月

王孫 俗号芤蘗補虛益氣療寒湿痺痛炒四月

右共為末煉蜜凡桐子大每服二三錢姜湯或酒送下

增減式

如脚氣水腫加木瓜三月

如無風痛去豨薟蒼耳　如骨痛甚加虎骨八月

如虛羸倍王孫　如頭面風遍身瘙癢加何首烏八月

一外治揉藥方共三方屡試屡驗　一方白礬艾葉二味混炒

一方白礬胡椒大茴等分擣極細揉痛處　一方萆麻葉蒸薄裹痛

處數次神效可治脚氣腫痛不仁

風癎

一治風癎發於晨昏見黄狗走前則昏瞀仆地良久乃

甦得於廷方集　人參白术當歸茯苓神曲陳皮黄芪黄芩

蓁門荊芥煎服月餘得安此藥料尋常建功甚異

一治纏喉風已出咽喉門　明礬三ソ　巴豆去殼七粒　先溶礬後入巴豆燒至礬枯去豆研細吹入喉中流出熱涎立寬或白蓮湯飲亦可

傷寒

一千金不換丸治四時寒熱不服水土等症禁忌同傳　厚樸姜浸一宿炒　蒼朮米泔浸一宿炒　陳皮去白炒　青皮去白炒　草菓煨去膜　檳榔　香附鹽酒醋便浸炒　藿香連梗葉　半夏姜汁浸一日夜炒　甘草各等分　右各細末煉糊凡如彈子大每服二三凡姜湯細嚼送下

一辟寒丹　雄黄赤石脂粘舌者佳丹砂乾姜等分爲末同

白松香末爲凡如桐子大酒下四凡每十日不着綿衣赤身可行水中

一百解九副詼隊方侯傳漣　霍香香附與陳皮粘葉優曇共

茘枝鳳尾黄鶯柳仁子青吟南木五加皮　右等分共細末煉糊九如弹子

大青黛爲衣隨湯引下　一腹痛塩湯送下

一下痢姜湯送下　一泄瀉米泔送下

一寒熱紫蘇霍香生姜湯下○一治寒熱日久脩號梅山傳

小柴胡湯加桔梗茯苓陳皮牛必量加之蘿丹紫五菜蘿

長生十葉荆芥或蒼术代之姜三片葱一莖酒一小鐘水煎服如熱多加山栀寒多加草菓寒熱相等均用無汗加紫蘇葉

一治傷寒疫病眼閉不語欲死者山栀子三十枚去皮炒水煎服

一治寒熱身腫腹脹　金銀花葉煎濃汁服之即瘥

傷暑

一百鮮凡傳業明　治夏天暑熱寔症　石冷寒水石青豆活石石膏粉草葛根各等分爲末糊一凡彈子大每服一凡清水磨下

一治婦人暑月身自汗口乾煩燥欲卧泥井中由得衿飲食生冷坐卧風露宜玄武湯冷飲三服即愈

一辟暑丹　雄黃研水飛　白石脂研水飛　丹砂研細如粉　燒磁石

搗水飛去赤　等分人乳同白粉化為丸如小豆空心湯下四丸服至三月夏暑不能侵

傷濕　一治一切湿症拘攣痿敗並見神效進士翰林院潘謹侯傳

茿六六茿蛇蛇棱椤苨棱陶潛茿彝菠坦茿鬼射疸茿

蕠茿菈茳白童男棱䫐鳪綀腓鷂烏藥綀末錢綀金銀

桑寄生若無用薏苡代之　各味平分切片炒黃或用酒浸或濃

煎服代茶隨量亦可如拘急以滓揉揰之

一治湿痺等症　茿六六十分　茿泊擻七分　茿椤苨七分　茿䩞

芷七分白童男赤童女各三分當歸去首三分茈婆訶二分茈蕊複三分茈馬鞭三分澤蘭葉七分牛必五分右各味洗淨括皮切片炒研末八酒浸一个日隔水煯以栗子開爲度取起埋土中一宿每早調入生酒空心服数盃如湿症上寔下虛手足不舉加斷續寄生薏苡外塗以萸茱錢萸茄毒藥萸長生搗末以採搥痛處

一治湿病七八月脚膝與四肢骨節疼痛皮膚寒冷常以綿絮覆盖不堪一點風寒且麻木痛癢採搥不住手但飲食如常或用風藥或用養肝活血而不榮筋或下

焦寒加桂附則熱竄于巔嶺而痛更極抑知肉桂伐肝

故服之而筋轉痛且拘急兼痛楚是猶爲寔又飲食如

常益驗其寔宜選用三氣活絡湯　川椒　川烏

草烏　細辛　白芷　當歸倍　熟地次　少加麻黄水煎溫服

一外塗藥　川椒五両　川烏二両　艾葉一斤　爲末錮縛手足又

燻法花椒塩醋葱白煮七八沸以蕉葉粘塌口穿孔使

氣上蒸薰之数箇時辰氣得通煖舒暢如故

一治四肢拘急不能行步及發瘡疹骨節疼痛名爲濕熱

白粉藤{哭續蔣厌}去節浸米汁一宿炒黃八酒隔水燒埋土下一宿以去火毒每早辰空心服之

一治脚氣腫痛不仁　草麻葉熏薄裹痛處数次見效

一治脚氣冲心心腹刺痛大小便秘足膝軟弱等症

黃松節{月一}槟榔牛必木瓜沉香蘇子大黃枳壳{7各}一水煎八童便半盞温服

瘟疫

一避惡氣法

凡天行疫氣恐其相染須日飲雄黃一卮仍以雄黃少許綿裹塞鼻孔男左女右最能除辟惡氣

一辟邪丹　虎頭骨一兩 硃砂雄黄鬼臼蕪荑鬼見愁藜
蘆各五錢 共細末煉蜜丸如彈子大每一丸男左女右繫
於臂上或當病者户内燒之 又方一切邪惡之氣並不敢近并治婦人與鬼交亦效
一時行瘟疫發大頭瘟症頭項腫甚疼痛難忍 用清涼救苦散
敷之 芙蓉葉霜桑葉白蘞白芨大黄黄連黄芩黄栢白芷
雄黄芒硝山慈姑赤小豆南星金線重樓等分為末蜜
凡調敷腫處以鵝翎頻掃之 又方取側栢葉自然汁調蚯
蚓泥敷之 又方治天行時氣宅舍怪異用降真香燒焚大

解邪癥小兒帶之能解諸邪最驗又方醫統曰男子病邪氣出於口女人病邪氣出於前陰其相坐立之間必須識其向背或以雄黃末塗鼻孔中凡入病家行動從容察位而坐此匿人之不可不知也

瘴氣

一百解藿香凡柴事日傳　香附二月半　倒粘葉哭莢樣簾　五加皮各二月　優曇葉　南木香各三月　檳榔　百草霜　龍胆草　蒼朮各一月　乾姜少許右各味為末青豆糊為凡如彈子大每服三五凡隨症用湯送下　山嵐瘴氣不服水土生姜湯下

一泄瀉米泔湯下　一四肢寒熱姜葱湯下

一下痢日久枳殻湯下　一霍亂吐瀉塩湯下

一諸腹痛塩湯下

瘧疾

一逐瘧丸治新久諸瘧病（北江侯傳）　草菓　檳榔各二分　甘草一分　常山七分　為末糊丸棗子大以土硃為衣以艾葉男七女九煮服每服三丸迎服先一時未發

一治久瘧（良醫柴弘傳經驗甚神效）　常山（酒浸二宿煮蒸陰乾二分）　檳榔一分　右為細末酒半盞雨水半盞藥散末一銭和勻（未發先一時迎服）

一治經年瘧病（御醫正柴翼傳累試皆效）南牛必（哭樓韓緯）用鮮根去心取皮水一鉢煎夜露一宿至鷄鳴溫服三四盞神效

一勝金丹治久瘧不已　常山（酒浸三分）蒸草菓檳榔（各三分）香附（一分半）右共細末糊丸如桐子大每服男七女九丸水一盞酒一盞煎至半夜露一宿迎服前一日（面東向湯下）

一治久瘧（正後校大壽伯傳以下三方）補中益氣湯加常山　君草菓火許姜棗（煎服）

一治新瘧發在陰分寒多熱少　四君湯合小柴胡加常山為君草菓（火許）水煎末發前一袖迎服

一治新瘧發在陽分熱多寒少　四物湯合小柴胡加
常山爲君羌活（少許）水煎未發前一貼迎服
一治諸瘧新久皆效　常山（酒浸二宿陰乾酒蒸）陳皮青皮檳榔
大腹皮（各一分）甘草（半分）水煎一沸去頭汁再入水一鉢煎
未發前一貼迎服　一方加黃蘗皮露一宿服
一加減不換金丸治四貼寒熱不服水土等症
厚朴（去粗皮姜汁浸一宿炒）蒼朮（米泔浸一宿炒）陳皮青皮（各去白炒）草菓檳
榔香附（四製）霍香大腹皮白茯苓半夏（各等分）甘草（半）減右爲

末糊丸每服姜湯下　一方凡欲截之若氣血俱虛用人參生
姜各一兩煎服頓止不問新久並效　一方截瘧神效　用常山
末二兩烏梅肉四个研爛酒調臨發日早服　一方不問
新久瘧用常山一兩剉細以好酒浸一宿瓦器煮乾為
末每服二錢水一盞煎取半盞去滓停冷五更服之不吐不瀉效
一方治瘧神效　用蒜不拘多少研極爛和黃丹少許
以聚為度丸如芡實大候乾每服一丸新汲水空心面東吞下

痢疾

一治下痢泄瀉等症香靄社高文寶傳　鷄卵三枚去白

川芎少許爲末黄蝇多嫩眉毽切細右三味調入鷄卯隔水煮空心服　一治腸風下血症左校點貞山侯棱briefly替傳累效

顛皮取赤水三鉢煎一鉢空心服　一治下痢腹痛并溏泄手足微厥及發寒熱等症騆馬彬傳麥芽神曲乾姜梹榔姜活生蒼术生陳皮生半夏等分水煎服

一治下痢症宋郜公傳累效　蓮房山藥各一月粉草四刁右爲末飯湯送下

一治痢疾　椿葉焙爲末烏梅湯送下

一治瀉痢　烏頭三月一用生一炊黄一燒存性共爲末醋煯麵糊凡

菉豆大空心服　一赤白相雜俱用井草乾姜湯下

一瀉用井花水下　一赤用井草湯下　一白用乾姜湯下

一治瀉痢　糯米七分微炒　枯礬粉草杏仁各五分　糊丸如青

豆大小兒六丸大人二十丸　一瀉温水下

一初痢飯汁湯下　一久痢菰眉鼈鳳尾草車前草各炒過煎湯下

一治諸般痢疾　皂角生用散末一分　蝓䗪一分　調匀用飯煉

丸如黑豆大大人用二丸小兒用一丸　以芭蕉葉一段呑下

宜臨辰製用　一治血痢症

不宜陳久

南川練子陳米車前子等分爲末糊凡車前湯下

一治痢不問赤白黑遠年近日並效　北川練子（如龍眼大）青豆各等分散末飯凡如黑豆大（每空心服三四凡淡姜湯下）

一方治痢與泄瀉　木凡子（七八枚）焼存性研細（米泔水調歆）

泄瀉（與痢參看）

一治諸瀉凡（柴胡傳）　荔枝核（十分）烏賊骨（五分）爲末糊凡量與之以㳂龍菜（俗號蔓菁茶生水面）煎湯下

一治吐瀉危急（得效方集）　大蒜研泥塗兩足心并臍中

脫肛

一治脫肛久不收　五倍子百草霜各等分爲

米醋熬成膏鵝翎掃上即收又一方鼈頭骨燒灰爲末調猪脂塗上立收

一治痢極脫肛　蟾蜍𠾾丐去皮心燒灰爲末車前子二分陳米三分共爲末車前湯送下　一收腸丸丹輪社范兄傳二方

白朮當歸白芍川芎槐角炒山藥蓮肉各一ㄅ人參七分

龍骨煨五倍炒赤石脂各五ㄅ右散末米糊丸服外以五

倍子末托而上之至五六七次必愈　一提腸湯

人參當歸茯苓各三ㄅ黃芪薏苡各五ㄅ白芍升麻槐米各一ㄅ水煎服

大小便秘附尿血　一治大小便不通　大黃煨一ㄅ荊芥

二月為末每服二錢温湯送下如小便不通則倍荊芥大便不利則倍大黄

一治婦人淋閉小便閉而痛少下白者　當歸滑石木通鼠糞萹耳子黄葵子黄連氷煎温服

一治婦人癃病小腹痛癰結膿已成腫廹於玉泉渡則痛甚國老膏加將軍血竭琥珀用以攻膿從小便出而愈

一治婦人小便秘如淋脹渴　六味湯加牛丷麥門五味煎服　一治尿血　琥珀刀三為末燈心蒟荷煎湯送下

又方苦蕒菜哭蔞芊酒水各半煎服

五淋

一治淋病　萸蕻（取菓浣衣）搗取汁調汁和容服

又方　菝葜多柄萸血喻赤童女白童男（等分水煎少許調服）入容

一治五淋病　石決明藍熖晒乾散末調水服

一治淋漏莖頭腫痛散大大便閉小便勁痛

枇杷葉搗汁露一宿入白容調匀飲之即效

一治遠行勞碌小便如石灰汁而且閉澁

六味地黃湯加知栢（並用酒炒黑）　又方以生地替熟地煎服

一治因勞成淋　何首烏葉（萸核脵脯）搗取汁調赤容飲之

又方萸血喻搗取汁混入赤豖調勻飲之

遺精

一治男遺精女白濁得连方集海螵蛸為君散末每服二錢木通蘇木白力洗淨切片水二三盞煎取一盞為湯送下即效

一治夢遺　韮子炒為末好酒調下二錢

一治男人漏經久成痔與婦人白濁等症

斑苗十五子去首尾翅足糯米水浸一宿炒乾扁蓄根萸葉萊挑黜麻秘汁爻分鹿角霜一分為末糊丸男用荊芥湯下女用血喻葉湯下五更初空心服至申酉方得飲食乃效

一治漏精症　烏賊石冷石羔滑石各用五錢爲末兜

絲藤(哭絲 綉紅)燈心(五ㄅ)土茯苓(一月)炒煎湯空心下二錢

失血

一犀角湯(業國傳)　犀角丹皮生地赤芍當歸黄

連黄芩苛分水煎八茅根汁磨京墨調服

一衄血加山梔阿膠　一吐血加天門山梔阿膠(蛤粉炒)

一咳血加山梔麥冬知母　一唾血加麥冬山梔知柏

一吐紫黒血塊(胸中氣塞加桃)仁大黄　一吐血不止加生剎

芥連梗搗汁半盃如無生用乾爲末亦可

一治衄血症黃芩芍藥各酒炒 麥門甘草各一刀水煎磨犀角調服

一治被傷出血 芙蓉葉柳桑葉共細嚼塗之立止

一治金瘡發血不止柴燕傳 葎蘩葉罌粟卒二分 橙葉罌粟淨一分

鹽少許搗碎以青蕉葉塗患處 一治鼻衄不止

韮根葱白研如泥凡如棗大塞鼻孔頻易乃止 奴大蒜

去皮研泥塗足心左出貼右右出貼左

消渴

一治消渴症累有神效 茅香香附天花粉栝天竹葉

車前子各等分煎服 一治水衰火炎而消渴六味湯加人乳和勻服

脹滿　一治過食硬物腹脹硬如板四肢厥逆勢在危急諸藥不能下

龍樹汁預昌蟑蜋姜黄叉鑛散末調龍樹汁為凡如桐子大每服九凡姜湯送下

又方龍樹濃汁一盞鱖魚买个蘇三四尾浸入濃汁炙乾再浸再炙九次為末糊凡如桐子大或醋或酒送下通利後以黑豆煮汁飲以解止之

一治腹中脹痛　香附烏藥各等分　為末每服二錢鹽姜湯下

一治胃脘脹寔飲食不化大便燥結或用四君加行滞之藥則滞痛稍減而燥結愈增或用六味加活血諸品以潤燥則燥火減而脹愈倍宜補中湯酒炒升柴火加

木香以提陽氣亦陷者舉之之義後用歸脾加牛必當歸以調之

一治下虛人及誤食硬物不化脹滿難當者　用無患子六七葉刮取皮裏肥脂厚塗於小竹笋納穀道中下之

水腫

一治浮腫氣腫水腫　木通井拋硇硝烏龍尾燈心水三碗煎一碗空心每服一盞一日二度服加前食井煉一口忌諸鹽鹹

一治熱水腫　山梔子爲末飯汁調下三五ㄱ如胃腕熱甚病在上者連殼用

一治諸症水腫　木通燈心防已五加皮各一刃細末水五腕煎至一碗調硇硝五錢每服一蜆殼服後井煉三

五口送下以利小便爲度宜淡食忌塩鹹每食海蝌芥菜煎蘸或調醋食之

一治男女浮腫并産後腫苷拋蓋每等分爲末每服二錢用黃酒空心送下

一治腫症（侍侯中左隊卞慶傳）五加皮切片葽眼炒黃（水煮代茶常服）

一治水腫小便秘（石河縣泰河社黃文使傳許礼古錢三貫）硇硝一兩木香（二分）燈心一束水一鍾煎三沸每服二小鍾日夜各一服忌塩鹹宜食海蝌二三个淡煮痊後方可食塩

一治諸水腫諸藥不效　黃雞（一隻用黑豆浸半日去毒或同入黑豆煮更妙）

大茴香ㄅ一散末糊凡如青豆大酒湯下其水從毛孔流出而腫立消最為健悍

一治黃腫水腫用推車凡　明礬三刄青礬一刄白麵半斤

同炒令赤研末醋糊凡桐子大每服十凡得利便愈

又貼膏　田螺四个大蒜五个車前子炒末三ㄅ共搗爛貼臍中

蠱脹　一治單腹脹四肢瘦削腹大如箕　硇硝耳拋

皮射香官桂烏龍尾茴香澤左木通隔水煮湯服忌食糯米及鹽鹹此

藥一投水即下而脹自消　又一方加香茅根茺英使燈心又取耳蕨作

二口嚼之去滓含汁同藥水飲之每次皆然

一治諸浮腫已成蠱勢甚危迫　宜以前方八味散末調之以煮透烈性故也以上二製中病後並以鯽魚一尾去骨取五靈脂一二錢散末入鯽肉為丸外以飯擣包裹煨之去飯吞下然此近功之伯術凡強壯人方用但以八九日為消脹之期若過而未愈者此虛不受攻勿可再用

一治大人小兒蠱病　白黑丑一頭末一刄　檳榔半生半熟一刄　三稜莪朮醋炒各五ㄅ　牙皂ㄅ三　右為細末小兒一錢大人二三錢酌量其人虛寔而用之沙糖湯送下空心服

積聚

一治積塊及痞母尤妙　黄力根炒散末以飯汁煉丸枳寔炒散末爲衣空心溁酒下以柳葉炒爲（茶飮）

一方治積始生　用煙草根（畧核蘇牢）洗淨切片炒黄水二鉢煮一鉢飮之又用烏藥炒煎湯（代茶常飮如已久合前方茶柳葉更妙）

一治男婦腹中積塊或痰積死血切痛並用

鬱金香附（各等分）卄草（少許）爲末糊丸桐子大每用男七女九丸生姜三片紫蘇三葉食塩（半匀）水一鉢煎半爲湯送下或酒亦妙如産後血火不通亦酒湯下如不嗜酒用

食塩半錢紅花一合水一鉢煎半空心湯下

五疸

一治黄疸諸症(翁傳) 紫檜木(切細水一鉢煎至半不拘時服)

癲狂

一治寔熱癲狂 苦参(水磨濃) 黄狗胆(一枚取汁) 調服

或苦参為末客凡桐子大每服(十凡茹荷湯下又名千金凡或為散末每二ㄋ亦可)

一治天行熱病發狂 芭蕉根絞汁服之神效

一治發狂哭笑不休 海塩(煆赤) 入長流水(煎歛探吐熱痰即愈)

一治癲狂寔熱與血熱症 大黄(四兩酒浸一宿水三斤煎熬分為三服)

一治被反悪魚符狂走下水(翁忠順傳) 鹹水(一鉢飲之若心煩者以青豆粥觧之)

一治婦人因饑從勞困發狂　獨參湯加竹瀝飲之立效

惡心

一治惡心胃中浮風　橙葉去酸汁和鹽霜煎成膏食之

翻胃

一治翻胃因於痰飲　蚌殼煅研粉湯下

一治遇冷氣傷胃食入則吐　白荳蔻三枚去皮為末酒調下即效

痰飲

一治痰隔痰鬱等症　牡礪煨三四次醋浸二分莪朮醋浸晒乾二分共為末以龍樹為凡每服五凡姜湯下有痰則瀉下無痰則不瀉最為神效

一治痰涎壅盛　丼草陳皮各等分為末研白礬少許調糊為凡如菉豆大每用

一丸含之或姜湯送下亦妙　一治痰喘或久嗽

蘿蔔子炒 杏仁去皮尖炒 二味等分蒸餅和丸如麻子大每

服三丸津液化下　一治平人無病而痰多者

紫蘇子炒為末每服三錢無灰酒送下　一治痰涎壅盛症

該奇都督劉公家傳屢效 白礬半生半枯 為末水丸小豆大每服二三丸橙菓汁下

咳嗽　一治咳嗽失音　杏仁去皮尖三分 桂末一分 研如泥含咽下

叔訶子炙 桔梗 甘草等分水一盞童便一盞煎服

一治久咳不瘥　猪腰一雙切片 胡椒六粒研細水煎飲汁

一治虛熱乾咳　茾𣗳竹青粱米煮粥日食二次

一治外感咳嗽失聲　訶子桔梗薄荷木通蝴蝶藤合各味水煎服

一治寒嗽症　雄黄水磨塗紙聽用胡椒十五粒草菓半桂一寸右各散末以篩上雄黄濕紙卷作筒如竹管中空以通煙燒着一頭留一頭插入病人口以吸其煙甚神效

一治久咳不止　五味一兩茶葉四兩晒乾以茾草五兩煎膏入藥末煉丸梧子大每服三十丸白滾湯送下

一治一切新久咳翁節穉傳　青豆五十粒生用香附四十粒

生用巴豆十粒（去殼去油）為末以津液為丸（小豆大每服一丸共芡留共含之）

一痰多咳嗽（得效方集）陳皮半夏雄黃甘草吳茱萸烏頭（各等分）

胡椒芫花丁香（減半）各散末取白紙一張彩白礬敷紙上

或用黑雞卵取白敷紙上再篩藥末于上捲紙為筒中

空一頭著火一頭令患人吸煙　一治喘咳

葶藶知母貝母（各一兩）為末烏棗肉（五分）研泥砂糖（一兩半）共

和凡如彈子大每服一凡用新綿裹含咽三凡見效

一治久咳或痰喘　蘿蔔子（炒）杏仁（去皮尖炒）等分為末餅

丸麻子大每服三五丸津液化下

一出聲音膏治病後失聲或咳久失聲　梅菓黃蒸一百粒橙菓汁一盞白蜜八月茸草一月同煮極爛濾去滓再熬成膏收貯徐徐咽下

哮吼

一治哮吼症朝口社黎公傳　龍樹汁一盞北斗魚一个菓尾切俘灸乾浸汁再灸再浸三次研末陳皮湯下

一治哮吼症　長生蕖棗葉蚕紙燒灰煎蒸入白蜜調火許服

又一方羊糞柳苔蓉椑二味混為一入嫩竹筒中水浸一宿去藥并竹取水入糯米煮食甚是神妙

喘急

一治陽虛氣不升降上盛下虛（痰涎壅盛喘促氣短等症累效）半夏陳皮南星蘇子厚朴當歸前胡甘草沉香姜棗水煎温服如肺氣熱甚宜加茅根一握亦妙

呃逆

一治呃逆聲聞四隣　青皮研末每服一ㄅ白湯送下

一治呃逆不止　荔枝核七枝橘核ㄅ三各燒存性為末白湯送下

一治呃逆聲出自上焦　柿蒂沉香木香乳香砂仁共為末每服一ㄅ姜湯下（熱湯忌用）

一治呃逆（國人老叟傳）　檬花枝根括取枝皮煎湯服

厥逆

一治婦人忽然不省四肢厥逆稍省號呌數聲

而復昏肝脉弦数且滑此欝怒而得之也用流痰降氣降火之劑加香附散（分肝之藥） 又方香附炒為末童便調下

房室

一治大病後遇房事潰汗亡陽用十全加附而汗出更甚抑知陰虚而陽無依切忌辛香只宜純靜宜十全去川芎倍熟地加烏梅五味外用五倍散末（朴之立效）

一治房室中寒蒸症（該隊櫨朝僕所傳） 英蓀英眼英茸坐英亮英菖蒲英梔子搗水絞汁服之

一治房勞急症 烏木竹茹山梔（七枚）烏犀黏浸朝木通各味（水煎服重者加童便一盞）

虛勞

一治虛勞久嗽及傳染者　鹿角霜散末男用桑白皮女用續斷枯煎湯送下每日早辰服一錢

一治虛勞氣短不能接續及滑泄與小便數　莪朮　金鈴肉各一兩　硼砂一分　共為末每服二錢空心鹽湯送下

一治婦人陰虛黑瘦咳嗽等症宜用補陰丸　熟地五兩　黃柏鹽炒　知母酒炒　龜板用山龜酥浸二日夜炙黃研　鎖陽大便滑者減半　天門冬去心另研　枸杞炒　白芍炒各二兩　五味子蜜水各半浸一宿晒乾炒一兩　右為末猪髓一兩入白蜜煎成膏煉丸桐子大每服七十丸姜湯下

止酒

一止酒方　猪母糞晒乾爲末用半糞半糯米造酒如法成好酒不意許飲以醉爲度加胭脂紅待醉甚投入酒盃許飲切不許知自然畏酒

范富唐捐葩銀壹元　由廣南人

試差八品譯文芳供錢拾貫

藩司玖品范必閳捐錢拾貫

領徵闔津梁端記潘慧照陳義成供錢拾貫

百家珍藏盃卷終

136

新鐫海上医宗心領全帙卷四十八　百家珍藏仲卷

頭痛

一治經年頭痛　巴豆根（燒炭）取痛翻將（燒炭）燒清醋取氣薰之永不再發

一治頭痛不問新久　血虛人（四物加大黄黄栢）氣虛人用四君加大黄黄栢

一治濕氣上冲頭頂疼痛諸藥不效者　艾葉并枝梗苦練葉并枝其法先用艾葉厚鋪於頭上次以苦練葉鋪于艾上後用土墹燒極熱覆于藥上濕氣下散而愈內服勝濕湯以利便為度則永不復發矣

面瘡

一治面上生瘡　寮陀僧磨水塗之即效

（百家仲　頭痛　一）

一治面上紅腫如梅桃子者太宰當郡公傳 莢充裩莢囬䌫水煮熱每日常燻之

一治面上紅腫五三處如橘菓者 丁香為末紅槿葉或白細嚼調丁香末塗之

眼病

一治眼赤便秘 山梔七枚煨熟水煎入大黄末三四ㄉ溫服立效

一治眼赤生翳 枸杞子擣汁日點三四次見效 又方梔子半合水一盞浸濃入白礬火許古文銭一男七女九又晨一宿點之立效

一治眼赤腫痛 白礬彩為末三ㄉ生姜去皮取自然汁調為膏塗眼胞上 一炷香痛止腫消洗去 又方黄丹調白蜜貼太陽穴

一治目赤痛或生翳障並有神效 春情社名姚春傳許礼古銭五貫

萸乹襖紫忌水搗碎藥二分八盞一分以青蕉葉火紅令軟包藥粘傳小指一頭節左痛粘左右痛粘右日夜各一易即愈乃用燻藥核乹襖紫核桄二味平分切碎晒乾八土堝内煮熟以青蕉盖堝口穿孔燻之滿面得汗方止又取此燻湯飲一盞一如觸濊氣或房室氣以萸芄嫩萸棗嫩各用男七女九数搗汁八盞火許蘆淨内服外洗

一翳膜堅厚仍用盬少許姜少許令人先食芙蓿四五口使舌頭強漱口淨點姜盬在舌頭往来柔掃宜酉辰

各一度如翳未消再取黄蟮血湿紙晒乾捲作粗線水浸潤置眼中

一禁忌食物个鯔鯉魚个油油諸卵猪脂諸豆芽糯米

月水氣見巨魚最忌房事并房室氣

又方 烏賊骨一分黄連半分和白客點之

一禮先師用花菓茶祝曰翁婆柴部禮娘証明

一治一切目痛症 興元縣福山社良医王克遵傳許礼古ワ三与累用神效

石决明 磨去粗皮黄鶯炭燒至稍熱取出入童便浸一刻再取出以穀精草車前子蒙花决明子水煮将石决明浸一宿取出晒乾研粗末以胆礬七分硼砂一ワ二味為末調冷水一鉢将石决明又浸一宿取

出晒乾研極末聽用之　爐甘石火煅通紅研粗末以水飛過澄清取出晒乾研極細用之

製藥以爐甘石二两石決明三ㄅ二味同研極細如赤痛瘴膜只此二味點之

一如痛日久加硃砂三分枯礬一分共研細點之

一如久痛不已加胆礬半分研細和水澄清和藥以點之

一如翳膜堅厚加鱒魚要鯖个胆一枚梅花二分共研細點之

一如眉簾腫痛依本方甘石一两決明半ㄅ加輕粉三厘硃砂一ㄅ共研極細點之

一如眼有紅絲加枯礬一分共研細以點之

一如翳甚以硼砂含軟以舌往來括入目中　一如眼紅赤用藜襖紫煮水洗之

一治目生虫上下胞赤爛弦壽才侯傳白家楮濃膏遍塗于砂碗内以荊芥穗并梗葉燒令煙起括取碗内煙涂之一以去風一以殺虫

一治目痛諸症中頬縣名柒輝傳爐甘石二両用六歳無病童男小水二鉢以黄鶯炭桑炭煆甘石通紅浸入童便七煆七浸又以當歸堡五匁黄連二匁丁香十ケ烏賊骨五匁楮濃水又將甘石浸一宿取出洗淨晒乾為末磁罐封固隨其症而加減之

一如目痛腫閉加龍骨石蟹珍珠黄連象牙並磨水調甘石點之　一如目翳加龍骨一匁射香一分雀白糞一分調

井石共研末點之　一如目胞突出加龍腦五ㄅ調井石研點之
一如胬肉加珍珠ㄅ三調井石共研末點之　一如針翳形如
針眼中卧加黃藤ㄅ一白礬一分調井石研細點之　一如目翳
黃色加射香一分雀糞二分人參二分調井石研細點之
一如愈後加銀硃一錢調井石點之　一如愈後以黃
連井草黃藤各ㄅ一八土塌煮熏燻之以除根
一治風火目痛紅腫得效方集　大黃黃連黃栢當歸柴胡
欝金各等分細切以好酒煮一伏匍去藥用酒澄清點之

或以重紙浸酒挲眼胞上　一如多眵淚加胆礬

一如腫加薄荷　一如痛甚加田鷄胆汁

一治目無故睛突脹痛柴春傳　以本家中心土水調挲之即安

一治痘後毒入眼英員傳　英櫕柒家煮楪用男七女九葉　黃連一元ㄅ

通錢一文先以櫕桒飯上蒸細嚼調清水浸二味調之

一異人傳授秘方　余被目病二年將至失明幸逢一

異医扶董社人內用點藥外用刀針取下惡血半春間

其病如失余曰見神異厚禮從學後傳其侄吳維燕又

傳黃金又安義烈人後余習醫燕乃盡傳方藥其施治見功亦能速應然其在刀針乃過半余手藝不精只取方藥

一陰丹主治雲翳胬肉　製法以蒲公英連根約三月膽礬一月以南鉢盛之鉢搨鉢為上八好酒一鉢鹽泥封固置炭火上煅煮以蒲公存性成黑灰為度取出急放於濕紙上以別鉢蓋定火絕研末唷用

一陽丹主治眼病諸症並尊為君　製法以爐甘石火煅極紅以好乳和童便各半浸入再煅再浸各七次晒乾研末唷用以黃蓮炭煅之為妙

黃丹主治風熱眼赤腫痛最能生肌止痛散血製法隔紙炒過去鉛毒水彩晒乾唷用

梅花粗爲龍腦煮煉爲氷片至精至粹爲梅花治眼諸病　龍腦專治胬肉赤筋

黃連凉血瀉火　胆礬主治胬肉雲翳每用磨取水以調諸藥　虎舌主治雲翳水磨用

射香主治眼睛突出其痛穿腦症能引藥治翳膜胬肉磨水用　熊胆主治雲翳水磨用

寒水石主治風熱眼赤腫痛每用磨水調藥一名石羔　龍骨主治多胗淚翳膜爛弦肉破拳

毛眼乾煆用　枯礬主治胗淚兼治腫痛斂翳膜止淚火煆用　硼砂主治風熱無淚生用治有淚研

細末炒用　黃鶯炭主治眼腫痛能鼓舞諸藥火燒炭研用　以上藥品其用本無

方惟在因症處方以多寡合宜爲妙　合方

一治風眼赤腫痛痒柴燕經治傳以下五方　芉石三分　梅花一分　黃

鷺炭二厘如单痛田螺汁人乳汁和點外用白後葉搗碎以黃丹調浸湿作餅塗之無腫痒者不必外塗

一治白膜遮睛　井石三分　梅花一分　陰丹半分以胆礬水和點之

一治雲翳　井石三分　梅花一分　黃鷺炭二厘以童便加鹽火許和點之

一治努肉攀睛　井石一分　陰丹三分　梅花一分　射香半分　白礬一分　龍腦半分　黃鷺一分　右各味散末乾點之

一治痘後痘毒入眼神效無比　黃連一分　胆礬五厘　龍骨二分　寒水石一分　梅花二分　井石半分　射香半分　各為末稀糊凡青

豆大隨症湯引磨點○一如色赤難以田螺自然汁磨點可也
一如腫痛以長生葉搗水磨之點　一如単痛人乳和點之
一如白膜以黄連磨清水之點　一如雲翳堅厚以酒磨
石信一毫和點之仍細觀翳中何處最厚是翳根以新筆染藥點之
一如腫痛甚以青蕉根搗八枯礬末調匀作餅塗眼上胞
一治風眼腫痛并治症後蔓明怕日等症柴金傳以下五方
卄石君黄丹臣梅花使共為末點之　一如有翳加治翳藥
一如蔓怕甚加黄蟮血少許　一如痛甚加射香

一如熱甚者加寒水石黄連　一治雲翳　丼石君黄鶯臣梅花佐陰丹使各為末點之　一如痛甚加射香一如有淚加止淚藥　一如紅甚減陰丹加陽丹胆礬加熊胆用水點

一治眼痛穿腦　丼石君黄丹臣龍腦使各為末以千里光搗細作小封塗眼胞上仍以前藥水調頻浸湿此封乾再易凡風眼腫痛者内點外以此藥塗最妙千里及即千里光

一燻藥治被惡風腫痛上下胞腫黑　防風姜活蒲荷蒼术荆芥艾葉各芧分為末入堝内水煮以蕉葉盖上

多穿小孔燻之又以井石黄連龍腦為末入孔內取煙燻之

一燻藥治愈後慎風　臺悉葉龍眼葉橘葉菖荷艾葉各等分投入堝內以蕉葉盖上水煮沸多穿孔燻之

以上藥方每投必應然扶董傳法妙在刀針此乃手藝非藥力可及之精一有差失不可復追不可不慎觀其割翳去弩經驸若神

一治鷄宿眼得效方集以下五方　蒼朮五兩米泔水浸炒　石決明一兩煅塩水浸三四次　白蒺藜一兩炒擣去刺　共為末將羊肝一具竹刀剖開末藥分四分一分掺肝內外用麻線紧紥置入甑中蒸熟三四次服之即愈

一治火眼赤痛　艾葉燒令煙起以碗盖之候煙上碗成爆刮下用水調洗或點更入黄連末最妙

一治肝虚睛疼冷淚羞明　香附子炒為末清茶湯下一刁

一治目中白雲翳　龍骨黄連黄栢白蒺藜嶌蔞薏苡如香需各散末以人乳汁和塗之如多胺加胆礬

一治風目痛　田蝸胆胆礬研礬調胆汁點之

一治目赤痛　取橙菓汁浸入銅堝一晌取清汁點之

一治目中白雲昏蔽必由氣血凝滯所致只白點者亦妙

如雲翳堅厚者先用仙髮根擣調入水塀内懸之高處塀底穿細孔令病人仰臥使水滩入目中待雲去用乳香陳皮各一ワ射香三分各爲細末祕核莩栖根擣汁和人乳調藥末以帛封塗目上藥枯再潤二汁如瘟後餘毒發瘡加竜腦

一治諸般目痛礼先師襄王菓孫真神授得之庭方集

煮藥法

龍腦一ワ梅花五ワ氷片五分右三味混入鉢内用水擣做稀糊量藥盛在鉢内三分之一兩鉢相合塩泥封固若氣泄則藥壞矣仍置于墹堝内下用前武後文火煮三炷

香取下冷定淨開取盞上彨藥家收聽用

一丼露乃爐丼石用黃鶯桊焼至過經離解為度取出以人乳汁小童便自十歲至十二歲者佳各等分浸丼石一𥁞許晒乾為末收貯啗用　一白礬燒枯散末收貯聽用

用藥法乃因症合藥調治　一通治目痛諸症　熇藥ㄗ一丼石二ㄗ枯礬八分研末和勻點目中經久者亦愈

一治白翳經年厚褁　丼露半ㄗ　枯礬六分散末點之以急攻為妙

一治四𥁞感冒風眼兼治白雲初翳與久而薄

卄石乃三焟藥乃一枯礬乃一共研末點之

一治目胬弩肉遮睛　桑葉鞊墨葉等分入淨砂堝水煮入經年石灰末封口焟沸熄之一堝可熄二三次後用通治散藥點之再取長生葉多栖葉白後葉食塩火許細嚼塗于眼胞上

一治童子高突　田螺外口肉馬齒莧優曇葉取有泡處共擣末塗目上內以田螺取汁和前藥通治方點之即收

一治婦人頭痛目痛與血入瞳子刺痛宜先刺兩手曲池穴使惡血出再取石灰與葱䙡紫葉共擣細塗針處後再用通治散藥點之立效

一治睛脫落甚至撲鼻　用陳石灰以火通紅一小豆大投入小盞水浸一个卯辰間取水滴入目中徐觀睛已復收若初急用長生藥細嚼塗目外不然更採入又用點藥和之亦可

一神治目痛方　先買苷石一斤九孔三件黃栢半斤苷草三刀半丁香十五个黃連三刀白桸紫三刀桂枝二刀草菓一菓胡椒十粒大茴五花檮檮一束以上並用散末立成方稱斤合煉苷石十月九孔一月黃栢八刀苷草一四刀檮檮一月丁香十五个白桸紫三刀黃連二刀桂枝一刀蜣呼近喝胡椒近喝大茴一錢

耳病

一治耳中出血　蒲黄炒黑研末摻之

一治耳中出膿　血餘灰研末吹入即效

一治耳鳴柴胡台傳　射香一ㄱ雄黄五分共研末以白絹包藥納入耳中或取散藥吹入耳中亦可

一治耳滕滕痛或出膿水右府常郡公傳聞已恭進累見神效

忍冬花葉搗細塗臍上間痛止急取去若久塗則兩耳再痛甚是神奇

一治耳滕滕痛　黑豆半碗水煮沸以蕉葉盖塌口穿孔燻之立見痊愈

一治因於久咳致生兩耳聾潤澤侯傳　大悲葉煮沸湯以蕉葉盖塌口穿孔以竹管一頭入耳一頭入塌孔取氣燻之即效

治耳痛出膿淋漓臭惡　觀音根煮爊取黃虎腊點之

一治腎虛耳聾　全蝎四十九枚生姜四十九片同炒乾為末一服做二更盡温酒調之隨量盡醉次日耳中如笙簧者效病十年者服二次效

一治蚰蜒入耳　杏仁搗泥調油滴入則出不出則死

鼻病

一治鼻中生瘜肉　珠砂點之即落

一治鼻流清涕不止書名鼻淵　以龍眼核燒爊之鼻聞即止神效

口病

一治口瘡　黃栢密陀僧青黛為末含之吐出涎沫即愈　又方用牛必南煎湯含之即效

唇病

一治唇燥生瘡　青皮燒研調猪脂塗上立效

一治唇上生瘡腫痛　指天草研細入塩少許蒸熟塗之

齒病

一治齒病　茴芽嫩一握食塩半分水煎濃含之

又方　葉坼坦搗細貼入　又方　英橘灰煮濃水含之附馬義方侯傳

一治齒虫　蛇腿黒布二味燒存性為末又取石灰混入作餅子約少許如痛在左邊塗在蹐頭邊右右痛亦如之其塗餅不可過大若大則口上發瘡

一治諸般齒痛老少並效正號官傳累見神效　王不留行即葉梗模

生山岐間用槐枝用小二味平分水十分入砂堝煮至
連根帶葉　枝

一分取出青鹽刄一調入隔水煮乾爲度散末塗痛處數

遍含之涎出立愈

一治牙齒腫痛生虫者得以下四方連方集

當歸生地細辛乾姜白芷連翹苦參黃連桔梗烏梅甘

草等分水煎先含後咽下又方藍葉搗爛夜敷腮外即愈

又方秘菓梅乾乍熏黑意搗爛塗入各齒縫立愈

一治牙床腫痛難忍　昌茄瑩散末ｿ一以銅器燒紅置

藥在上又放入黃蠟少許秘塊震蓮連銅器塊前穿一

孔祕車吊長尺許置入坭孔令患者口含吸之數次氣盡即愈

舌病

一治舌瘡同春坊姑寧傳累效硃砂神砂銀砂萸茸硅燒存性各一ッ為末調白蜜塗

一治舌中生瘡柴潤累效傳　黃栢炒黃蜜調塗之

一治重舌病平陸縣疕伯傳　樸硝研末塗痛處

一治白舌附方　萸檝燒成灰研末同白蜜塗之立效

咽喉

一治咽喉病阮登隆傳以下三方樸茸橋取根晒乾研細含咽下

又方白茯苓桔梗當歸炙草梔子白童根芇分煎服

一治因風熱咽痛　馬牙硝三ッ半射干升麻各五ッ水一碗煎七分溫服即效

一治咽喉火痛　白小茄葉茣茄砲皂搗末絞汁嚥下

一治咽喉症情遠社朝遠傳茣樸䩞鶵搗汁八盞火許飲外以澤蘭葉塗之

又方以青蒸根磨清水飲秦河社另兵名注嫩傳許礼古ソ五陌治咽喉近死

一治咽喉近死開中社儒詔傳　青魚胆含之即效

又方禅茄砲皂花皂研末和同青醋嚥下

一治咽喉腫痛連舌本百草霜棵上塵射干各等分為末醋凡含化外以一尺醋調塗

一治咽喉症柒良遺傳黑牽牛葉哭茣苓苓搗汁調青醋火許飲之

一治咽喉近死者永營屯守官云有近臣之弟患此近死幸得談兵救生乃許ソ二十貝取方曉示各市以傳人

㭒核櫛（圖匠每以此木作圖）以青醋磨濃飲之立見奇效

一治咽喉痛及纏喉風閉近死者並效　巴豆七粒（三生生者去壳研熟者四去壳燈上燒之存性）皂角（十粒）雄黄（一ツ）欝金（二ツ）各研爛茶湯送如氣已絶以竹管納散藥吹入喉中

一治咽喉已死者方可用（安信隊官傳云得於中得官傳治累神效）　萊菔子為末逾攤紙上捲作筒燒煙燻入鼻孔中係見吐得三色血（先青次黑後黄）即醒然後用藥接治

一治喉生大腫瘡或三四菓五六相連難搖顛者

松脂龍腦安息香水銀雄黃神砂各爲末煮膏敷厚紙貼之紙中通一孔以通瘡頭且使毒氣不復入致自消

一治纏喉風　杜仲根即鞊搥擻鶘搗汁和酒飲之立效

又方　明礬三分巴豆去壳七粒先溶礬入巴豆燒至礬枯去豆研細吹入喉中流出痰涎立寬

一治咽喉症得逞方集　胇核粰粃搗末調清水飲之其瘁再塗

又方萸葱襖搗汁并瘁入白礬末少許絹包含咽　又方絲瓜葉蒜葉同搗取汁服

象病附下二方　一治象咽喉噤口下水難嚥沉重如見熱

減熱味見冷減冷味宜先用通猴藥勝川恭進侯　山豆根
桔梗茸草葱襖烏龍尾水蒜葉燕脂根穿山甲白礬清涼
水右各為末以行泆劍磨水為湯灌入象口即效
一許象食藥　大蒜根木鱉子芡葉燕脂根山豆根青
豆白薇白檍烏頭粉草鬼扇葉白芨各味為末混入草供象食之

手病

一治臂痛　桑枝椿碎醋蒸熱塗之
一治十指初發如針刺無頭痛痒肉爛名穿掌瘡如在
兩足十指名窒天蛇柴黃秘傳　胡椒研細煮溫水浸洗日

二次神效　一治女人臂癰傳柒國　神砂硃砂各五ヮ

白蟥三ヮ枯礬五ヮ右三味細末調入白蟥隔水煮集群手

凡黑豆大每服五十丸水送下　一治兩手十指痒硬

先以荊針痒處後以白礬水煮沸浸入再以蒼青在水畔

血餘炭取鷄卵十枚去白熬取油調入二味頻擦之取效

心痛　一治心痛症　山梔炒黑生姜湯送下

一治心痛喘急　半夏陳皮前胡肉桂當歸香附枳殼

桔梗蘇子廾草厚朴姜棗水煎服

一治血刺心痛症　烏賊骨醋磨調服甚效

腹痛

一治腹中脹痛　香附烏藥各炒為末每服二ㄱ盞姜湯送下

一治腹痛誤水洗再加痛劇柴謁傳橙葉押取汁三分入白水一分食盬一蜆壳調勻濾淨服之立愈

一治腹痛并心痛霍亂並神效中擊奇卞才傳胡椒青豆各七粒細嚼生蕪水送下

一治諸般腹痛翁副傳桔礬一ㄱ粉草五ㄱ為末飯凡生姜煎湯送下

一治肚裏乾痛俗謂烏欲脹青黛黃栢各二ㄱ共散末用童便

調服或合砂盬和童便調服亦效
一治食積腹痛兼治腸痛瀉痢　南川練子即金鈴子俗號哭菓愁兜
乳香没藥等分為末丸如黒豆大每服二丸小兒一凡
茶水湯下若經久血痛加乾漆燒灰酒湯送下
一治經久病血瘀腹痛　乾漆燒灰糊丸酒湯調服
一治大病後忽刺痛難忍腹繼夾脊不得呼吸而神色
如常六脉和平流利有力乍有乍無此屬蛔祟　雄黄
白蒺藜乳香杉木橘葉各寺分為末糊丸硃砂為衣白湯送下

霍亂

一治霍亂心腹脹痛不吐不利煩亂欲死等症

檳榔五钱爲末淸水一盞童便半盞煎服

一治乾霍亂不得吐利痰壅腹脹等症　食塩一𠕋生姜

五　二味同炒黄色以童便四盞煎至一盞分二汁温服

一治霍亂吐瀉垂危　霍香陳皮水煎服若有煩渴加

葛根苴草　又方白芥子研細塗于臍上即安

一治霍乱煩渴　蓮藕汁一鍾生姜汁半鍾和匀服

一治霍亂轉筋入腹欲死　又方皂角末吹鼻孔取嚏

生姜三月擣末酒一斤煮服以姜滓塗痛處又以大蒜擣軟塗兩足心

一治轉筋腹脹未安吐瀉　梔子二枚燒研熱酒調服

一治霍乱垂死者急服之可以回生　龍骨烏犀角磨水飲之即效　一治霍乱二十八症

檳䓫鷓一握白米半合食塩少許同擣碎水調勻去滓飲或吐不吐即愈如轉筋加紫蘇葉太宰當大王傳

一治霍亂吐瀉等症　芙老葉芙蓊咹白地楊葉芙蒲勾龥無花葉芙茺三味擣細水一盞入塩少許煎服或晒乾為

末糊凡彈子大每服一凡如因房室用茶水或芙老葉亦可

一治霍乱急症　陳皮藿香苄分生姜七片煎數沸以木香泥香畐遍同磨熱服

一治霍乱轉筋呃逆諸症　粳米做半盞浸水搗碎調和濾去滓取半盞磨丁香木香粉草以後并前苦前并後苦為治如呃逆磨柿蔕一服即愈

腰痛

一治湿氣上冲腰痛　大茴香去核鹽炒為末每服二三ㇷ酒送下

一治湿氣腰痛如折　用艾并枝葉鋪于腰上外用煮糯米飯一堝乘熱𢬵置堝于艾上温即散下內服前方

脇痛

一治脇痛如錐打　陳皮　枳殻二ㄗ　右為末每服二ㄗ葱白湯下

腋臭

一治腋臭　黄連一ㄗ　丁香一ㄗ　枯礬五ㄗ　右嘉隊長壽才侯傳

大黄三ㄗ各散末先以芙老葉水洗淨次以末藥擦之

又方水洗淨以枯礬散末擦之　此方得之𨚗人口傳余長子治已經驗

又方洗淨取石灰食芙擦之　此方得之𨚗人口傳暫應後不絶根

足瘻

一治兩足瘻痺症

樌椁取東向根浸酒　黒豆一握炒黄　水煎濃食後飲一盞

癲疝

一治疝病睾凡大小疼痛難堪

白芥子一月 無患子五枚核燒去 木鱉子五枚 桃葉七葉向東 萸捲照

五葉 擣末塗之又以萸桃萸捲照內飲

一治婦人寒疝陰腫又自臍至心背脹滿攻痛而脇疼

更甚嘔吐煩滿不進飲食　宜灸章門氣海穴內服

玄胡官桂胡椒佐以茴香木香茯苓水煎溫服即效

蟲病 附外蟲牛半蟲　一治蟲心痛多吐白沫　鰻鱺魚淡煮

飲食五六度即瘥　一治白寸蟲　檳榔三七枚　為末先

以榴皮入水二斤煮空心調榔末ㄗ一服數日蟲出未出再服以盡為度

又一方加石榴皮更效已曾經驗　又方蜂巢燒存性為末酒服二匕虫立出

一治瘡疥有虫　靈砂為末塗之自出又方野芋根醋磨塗之

一治两足瘡生虫　牛羊猪並用肚去糞忌水研泥入枯礬半用研勻攤帛上塗之須臾痒極取下炙之虫出如絲如髮不計以湯洗三日一塗數次虫出即愈

一治蛆虫入耳　杏仁搗泥調油滴入則出不出則死

一治行踏象糞生虫在两足底　大黃醋磨塗之

一治瘡口被蛛生虫兼治牛牢虫翁曾傳　南牛必無花用葉

男七女九椿細麻宪䓀宪吏尼蚤生處買袝茣爻麻繪

吏撩於運烪自然出蚤茣爻果如果克

一治牛牢生蚤情艷社名吒看家傳其法祐朱別仕術袛邑罘茣

爻果如果克麻典栱渚朱埃別拎袛爻打飲尼宄蚤台邑吝麻埔䓀

栱渚朱馭坒別買神效　一治牛牢與人瘡處生蚤

茣克爻男七女九繪吏保病家備礼芙蔔酒弁問其府縣社

姓名祝曰先師扶護朱奴嗔朱蚤咄祝畢䊷底繪茣意

在灶上保奴術男七日女九日䊷乇　一治腹蚤諸蚤

牛黃懸灶上五六日使烏龍尾染厚刮去黑皮散末一掬冷水送下不一時大小便諸虫並出

一膏藥治諸虫　蜂醋乱髮畧秘瀝鷄足茄獨藥共燒存性研末水油三分松脂一分入末藥熔成膏貼之

虫獸毒　一治蜈蚣咬　香附搽痛處又方大蒜搗碎塗之又方萸鞋鷄細嚼塗之又方芎藭削皮搗末入石灰貝艮油塗之又方苦瓜子搗末置口中待涎出溫藥吞之火留塗痛處

一治蜈蚣咬毒已入裏舌脹滿口　鷄剔血浸舌并咽之

一治蛇咬方以下十三方皆得諸祖傳 青木香不拘多少水煎服

一方胡椒細嚼食之 又方白花蛇胆虎骨爲末調匀搽之

又方春槐葉擣水調食鹽少許飲之 又方昌核鳳仙即急性子細嚼食之

又方皂角子燒存性爲末水丸吞之 又方苦瓜子細嚼吞之滓塗患處

又方白花蛇胆或枚蜂胆黃蘗皮爲末以胆調凡謹貯患者吞之

又方埝眼爲末水丸先以髮圍括咬處以此凡塗之輸軸椒黏枚杆麻調水飲之

又方木丸子取仁炒用梹榔苛分細嚼食之水送下再塗咬處

又方菖昌葉擣水飲之滓塗患處安溪侯所傳祿壽侯亦傳

又方木丸子去核柳仁研末將柳仁末納入木丸食之即
效又以此藥外塗咬處仁良伯八使隘牢傳礼古刀三貫
又方皂角一分男七女九白芷二分為末飯丸雄黃為衣每服
一凡柴潤傳累用神效又方胡椒十五粒茴香一花虎苡胆一枚右
為末取胆汁煉丸桐子大黃蠟包貯臨用許患人吞之翁犍纘傳
一奇方甚神異之治蛇蛟已死者柴梅傳看黃截路葉即英蔞棋
男七女九如被人已死貼頭邊群皂扣圩萸棋取水去
滓朱耿恪吐或夫子妻或朋友吐未扣大呼三聲浪包

乇再吹氣入咬處如此以復生最爲神異

又方萎隲蹄(即車前子)搗葉取水盞少許飲之(情艷社翁仕傳)

又方白粉藤(吳續吕茹)面東取水搗飲滓塗之且令患者遇咬捌左手反向背後偶拾得何物取掩咬處以禦毒入腹後始飲藥(文儒伯入衷宰得之傳)

又方硫黃爲末和水飲之已死者可生(吴蚕傳)

又方金靈葉(一握)盞(少許)搗水飲滓塗之(參督寔忠侯傳)

一治蛒蝫喉(乃蛒神客參督朝安侯傳)旋覆花(即花姅鼎)取花吞之即效

一治蛒枚蜂咬死以木丸子磨入清水飲之即活

一治一切蛇蝎蜘蛛諸虫毒　煙草葉（哭莢蘗牢無鮮用枯）搗水飲滓塗咬處　又方紫蘇葉馬齒莧（葉或子或亦可）令患人細嚼取水嚥下滓塗咬處其咬處先以髮擦之去虫毒再以竹管插入上令人吮氣吹去以洩毒然後塗藥

一治牛牢被蛇咬（傳翁仕）　萎蕤勺萸芎門各（搗末鹽少許蒸熱塗患處）

一治蛇虫諸毒傷人口禁目黒手足強直毒氣入腹者白礬（彩）甘草芎分為末冷水服二錢

一治蛇咬（傳）　紫章茈鞊枚（細嚼食之滓塗患處）　又方　青蕉根（切厚片置患處以艾灸之）

一治虎咬并狂犬本家傳　係被於朔望二日者皆不治

芭鄙葉取自然汁半盞内飲外以滓塗患處

一治癲犬咬傷以下十二方寔祖傳　雄黄明片者五ソ　射香許火右研

末和勻以酒調服二銭服得睡爲佳自醒利下悪物再

進一服效即又方用人糞塗咬處再以艾灸之純石俟傳

一治風犬咬傷　紫蘇葉細嚼傳之或虎牙爲末傳之或取犬腦敷之不發

一治風犬咬不受風扇　丐蛤去皮心浸八青醋擂之後

取醋再加雄黄末調勻飲之再以肝蛤塗患處以布縛之

一治狂犬咬傷（曾祿侯傳）黄鶯皮煎湯磨虎牙調匀飲之

又方　黄鶯皮何首烏等分其黄鶯皮上旬取莵中旬取中下旬取下水二鉢煎一鉢服如已動驚者前取車前葉搗汁調水飲滓塗患處待醒知人方許服前藥七日一次（切忌酒其个䱜）又方䱷萸苴煡濃飲其已動則（畏風畏水畏扇）

一治狂犬咬傷已發狂呼不省人事（柴府黄梅傳）白蜜調清水飲之

一治狂犬并蛇咬　萸苔萊（一握即扁畜也）搗取汁飲滓塗之

一治風犬咬已發狂　萸艘䕬搗汁入塩（火許）濾淨服

一治狂犬咬未發（寧義侯傳）麋鮮角萎[illegible][illegible]（細葉而辛香）其角

火燉研末其菜切細煮蔆調角霜服五日一服（男七女九）

一治狂犬咬不受風扇（此藥可作凡貯用）稀薟草搗細入塩

少許内飲外以滓塗手足心百會穴

中毒（附毒藥毒物）

一中毒疑似未明以此試之早晨食艹草一寸有毒

則吐無毒不吐又試方以水一大碗置一宿澄冷在淨

室次早唾痰在上若痰沫浮者不是沉者是也

一治中毒（參護柴右戟傳）芭蕉根去皮切片銅堝三十歲水滿

煑至一鉢夜四更飲之不吐不是若吐出何物則是如吐多氣倦以萸藍擣取水飲之即止若已吐而毒氣未盡再照前飲之

一治中毒藥咳嗽似勞正隊長林侯傳書薏苡根一把人參三寸青豆一百粒烏木一把各爲末密凡青豆大每服二十凡水湯送下

一治中毒藥朝進使哀牢傳三方木綿皮斟鉢一粉草一段研鐵糞十五凡水三鉢煎一鉢末申䩞服又取鐵劒四舌置病床四圍命病者服黑衣而卧又放紫檜皮末一鉢鐵糞十二凡水三鉢煎一鉢服又方青蕉根擣取汁磨茸草每日二服

見大便出血即愈　以上三方不過三服愈後謝禮先
師晉國狀元用金銀鷄欸芙酒　一治中毒藥朝達傳礼謝ク三貫
木綿皮去粗男七女九片　烏犀不拘多少水一堝煎至一鉢服
又方　芃核　苴棠三分　苴草一分　水煎不拘朝服晏晉傳
一治中毒藥宋明傳　防風荊芥金銀赤芍歸尾連翹梔子
天花粉各分　苧　苴草少許　穿山甲三土片炒　水煎空心服
又方　丁香二分　青棗根十分　八新堝隔水煏至一鉢溫服
如果中毒吐瀉去其毒無毒則無吐瀉

一解妻妾愛藥犯穢惡物　沉香白芨丁香木香甘草桂枝茴香附子白童皮各等分　錦地羅各為末每服三ㄌ曲封煎湯送下

一解毒藥并誤食毒草毒物此方誠能救人於危急　板藍根貫衆青黛甘草各一兩為末飯丸如桐子大青黛為衣如初中惡神情恍惚惡心此真中毒也即以十五丸嚼爛新汲水送下即解

一治中食諸魚毒　馬鞭草擣汁和酒飲之

一治諸毒藥毒物急卒者服之　黄連黒豆甘草水煎服

一解諸毒藥砒霜毒幷巴豆毒　藍根汁入砂糖服之

巴豆毒則用黄連大豆菖蒲汁解之　砒霜毒則用粉豆寒水石爲末入藍根汁調服

砒霜毒則用白根擣水服之　鉤吻毒甕菜食之並有神效

一治遇六畜肉毒　犀角磨濃汁飲之

一治六畜自死肉毒　黄栢爲末服之未解再服

骨鯁

一治誤呑犬骨鯁　以硼砂含化即愈

一治誤呑魚骨鯁　砂仁甘草爲末以帛裹含之旋咽津久之自吐出

一治誤呑諸獸骨鯁　以象牙磨清水呑之即下

一治誤吞鷄骨鯁　取犬涎一盞再取黄鱔使尾浸犬涎納入喉中攪之即出或順流而下亦可

一治誤致登山魚入喉　綁絍紂絍燒灰調清水飲之

一治鷄魚諸獸骨及諸物誤吞喉鯁不問新久並效無形而致有形最為神異得於教坊司正柴岑傳云得於郡公傳朱如誤吞何物則以此物寫符如誤吞鷄骨則寫符曰鷄骨化為龍餘骨倣此焚符入水飲之神效其符用黄紙朱書倘急時用白紙亦可

一治誤吞銅錢

余西迩見市店家子誤吞銅钱咽喉腫痛水漿不入勢在難生見一行路人許飲清水一杯其钱立出已有白膜包裹余見此神驗乃懇求其方以布衣一領钱三貫準爲謝礼（且告以逢間未備伊乃立誓傳授其法）以水一杯面向壁立置杯水於口前作一氣誦曰䣛𨫼𪑹䤥𨫼一包不拘幾適期以氣畢呵入水中許飲（傳人名翁老頹）

一治魚骨鯁（儒映傳）　祕隻筳𠷇入彼家灶（不許患人知推倒正灶則骨鹿出）

一治小兒誤吞銅钱喉閉近死（得之迩方集右鋭營翁張傳）

杏仁煎湯先飲開膈鉄林炭銅末水等分爲末每日二服以大便見銅錢出爲度

折傷

一治毆打近死　礬顛葉（俗名棪礬顛坦蕻近似蕻棪𧫤）搥取水飲一度以人參另煎冲入再飲

一治壓倒折傷　逆龍銅皮沙竹精（精姿）昌蜂桂（火）茴少各爲末醋調煮熱以芭蕉葉包藥塗患處

一治緣木墜落血逆心痛幾（死者）紫蘇葉調入童便（煮熱服）

一治竹入耳腫痛（右內醫奇參督藤御公傳）木丸子（七枚）煨熟取仁

食之以犀角磨水送下再以二味磨汁塗眼胞上

一治被毒藥尖弃治瘡跡血出 潤澤倭傳許礼銀子一筹 黄力獨力 即井橘 石蟹 各三分 白力 一分 海蟹 五分 右各味散末飯水煉凡桐子大隨輕重跡量幾凡以飯水磨塗痛處仍留頭孔不然則遲效凡初被者切忌水甚效

一被力跡 右匡軍營鋭隊正隊長純姜倭傳 樸黏鼓鋸石灰 共爲末塗患處

一治尖鎗 附馬姜傳 先以杮柹 切細煮熟 以青蕉葉蓋㙮口燻之後以青蕉根野芋根生姜三味等分擣細以芝葉包

藥煨熱後以青蕉葉先包痛處乘熱塗之於青蕉葉上如冷再煨要得氣熱神效

一治斬劍跡 附馬義傳

青蕉葉芎門嫩各等分 華撥葉各半分 各切細以青蕉葉包裹細穿小孔塗患處每日洗三次

一治箭傷削皮 中尉參知伯傳二方

莫鞋紙龕細嚼塗患處

一治金鎗方

石灰經年 散末搗青蒿汁調稠貼之

一治失手從高墜下 縣丞傳

澤蘭葉搗爛入童便取汁灌之立甦

一治藥矢中人 得之違方集

石螺海蟹如無有用田蟹 土龍柳嫩用一嫩表

各味混入冬瓜内煮熟并煉爲丸彈子大每食十丸又以二丸唾津調塗患處　一治尖刺入肉忠順縣傳以下三方

莢蒾莢葉襖債紫㕛青各等分煎熟浸之神效

一治尖刺入肉已折首尖者　馬蜘蛛燒存性水調塗之刺首立出

又方𧊮馬鮅強搗末塗之立出

一治刀傷及打撲瘀血　人中白晒乾收貯臨用塗患處

一治尖刺打入肉　蓖麻子搗碎塗之三朝立愈

一治跌撲折傷不省人事力前隊員振武伯秘傳得於哀牢納礼古ワ五貫

鷄一隻去心毛糯飯三鉢菓欖去皮三枝寄生葉一火桂枝一火木綿一火各搗碎咱用以手輕揑折骨處復首敷藥于外以布圍封固再以竹片夾布外以繩札定三日一換以愈爲度如骨未折只見夾骨處攣縮骨頭差過宜乘此急著力提製以舒之其藥只減去鷄肉各味平分塗如前法又於初得期未及製藥宜急以童便或酒灌之以防瘀血入心即死

一治火灼傷　大黄散末調米泔塗之

又方犬骨燒灰和土龍搗碎塗之

急救

一治溺死柴川傳以銅堝炙熱腹上擦磨則水從下出而生

藩司九品余德澤捐錢拾貫

仙遊縣克念上社山村阮芳俊供錢五拾貫

嘉林縣土塊社信人吳氏邊供錢貳拾貫

綂下社官員耆老等供錢拾叁貫陸陌

義和公司仝供錢拾貫

仲卷終

新鐫海上医宗全帙卷四十九　百家珍藏季卷　經病

一治經閉不通膌腹作痛洗重寒熱往来　芥子細末每服二钱食前温酒調下

一治經閉不通成塊腹大　馬鞭草用梗苗五斤切細水煎五分取一去滓熬膏每服半匕酒化下日三服

一治經閉不通　厚朴三两姜炒水三斤煎至一斤分三服空心飲不過三剂即見神效

一治經滞絞痛　香附童便浸爲末每服一钱白酒下

一治経閉及産後血積　四物加香附官桂蒲醍茄浸酒又名草艾水煎服

一室女経閉五月腹大如有孕　桃仁去皮尖煎飲見下如猪肝則止

一治室女月経太過宜甜瓜子散　甜瓜子去油末水調服之

血崩

一治因熱而血崩　黄芩不拘多少為末每服二三ク焼秤錘碎酒下

一治血崩　砂仁焙乾為末毎服三銭米湯飲下

又方蒲黄炒黒　蓮房焼存性　黄芩各為末毎服二ク白附湯下

一治婦人因月水血崩及産後血崩貞禄侯傳累效

乾柳房取樹上自乾　洗浄水煎至半服

帯下

一治白帶不止　槐花牡礪煅火等分爲末每服三ヶ酒調下

一治赤白帶下久無子息左講官傳　陰陽葉採取陰乾濃煎代茶常飮其葉每附古樹而生一根直上如蜈蚣形一根在中兩葉在旁節節相對如右葉大左葉小左葉大右葉小故名陰陽其葉頗厚

一治赤白帶下姜烈黃金傳云得北客人名師敬傳二方核荄翠紫用根切片炒如赤帶用翠根一分四物一分白帶用翠根一分四君一分並水煎服如氣血兩虛用八珍愈後服補中湯去升麻加黃柏紅花白薇

一治白濁　萆核梔亭花韭散末糊丸袍英芊坦酒水

各九鉢煮取三鉢爲湯送下

一治白帶病陰處甚痛　桑寄生肉桂當歸川芎熟地白芍防風連翹木通車前各等分黒豆百粒爲末入酒壺隔水煮以栗子爛爲度留数日飲之

一治血脉不通赤白帶下　白童根赤童根薏苡根茅根各等分水煎濃夜半每一鉢入白蜜一小盞飲之如年久不愈不過三料

一婦人白帶無子及男子白濁等症　海螵蛸爲末每服三銭以木通蘇木白童男水煎濃湯送下

妊娠

一治婦人妊娠忽然心痛　紫蘇葉絞汁飲之

一治胎前兩足浮腫　青木香藤　紫蘇 陳皮 烏藥 木香 甘草 蒼朮 姜棗 煎服

一治妊娠五月心痛　宜食粥不食飯柴潤傳　白朮 黃芩 白芍 水煎服

一治妊娠七八月病帶下日五十起後重下迫宜消滯導氣丸下之而愈其胎不動

一治孕婦串小産　白朮土炒 黃芩酒炒 各四兩　白芍 少寔人血滯者用一兩　砂仁一兩炒 三右為末糊丸一月立起服白湯送下過小産期止服

死胎

一治孕婦喘不得卧氣口脉盛人迎一倍兩尺

俱短而緩宜達生湯倍川芎當歸服之此必下死胎而喘止是遇毒藥非風寒作喘也

一治孕婦墜下逾旬腹腫發熱氣喘面赤舌青口臭此死胎也面赤心熱盛而血乾舌青口臭肝氣竭而胎死也宜用鮀鯉煎湯調平胃散加朴硝歸尾一倍服之須臾胎下而安

一治孕婦大泄喉閉　宜附子理中丸裹以紫油一服即愈

胞衣不下

一治胞衣不下瘀血冲心脹滿欲死

兔頭骨連皮毛燒灰為末酒服　又方白芥子細嚼熟水送下立出

又方芙蓿葉九尖頭寸許搗八清水服之　又方伏龍肝以萸芵搗取汁調勺服之

又方伏龍肝蟬蛻百草霜共為末熱水調下伯遠傳

難產

一治難產陰戶痛而不出　葵子其花甚大而赤子有紋如革麻子炒黃為末昌蒲藥萸蔞柰萸𤸎栖桑菓平分水煎磨八牙扔木香蛇蛻燒灰調飲如胎未出陰戶乾痛以萸蒲葉萸蔞柰萸蔆栖搗水去滓注八陰戶

一產遲催生　芎二ㄌ歸二ㄌ葵子一ㄌ半車前一ㄌ急性子一ㄌ先煎芎歸三子為末調服黃舍傳　黃力根白力根菓懶

仁洪水多得之硫黄火炒等分為末酒糊凡如黑豆以白後藥搗取汁煮溫研八半凡服少頃又以半凡以酒水各半煎湯服催生藥中效異無比黎公傳甚神效

一催生兼下死胎香蘭人家傳井遂南一把石灰少混搗作芋形以綿縛長一寸二分納入陰戶內服鯆樫燒研末每一刀溫水調下

一治子死腹中　木鱉根紅花蘇木乾漆草梧桐皮南牛必桃葉水煎入童便服之立效

產後

一治新產登床用此一劑能消瘀血後服補藥

醫宗柒圭傳　蘇木歸尾澤蘭桂心莪朮香附紅花水煎入童便少許服或酒浸間補藥服亦可　一補藥方人參白朮當歸川芎茯苓黃芪甘草陳皮桂心熟地水煎服

一治兒枕痛附馬義傳　苦練葉取嫩搗水一鉢入食鹽少許飲之又方綿花子炒黃搗末水煎飲一鉢而痛即止

一治產後腹痛如絞　當歸五錢白蜜一合水煎服

一治產後瘀血上冲　欝金燒存性為末每服一ㄅ米醋煎湯下或童便湯下

一治產後心痛氣逆不可忍者　香附炒烏藥各為末

每服二錢空心黑豆淋酒下如血上頭痛薄荷湯下

一治産後虚汗不止　黄芪當歸各一两　麻黄二两馬蔸莧水煎服

一治産後暈倒并中風身強口噤手足瘈瘲四肢強兩眼倒吐瀉欲死　荊芥穗爲末每服二錢童便調下中風酒調下口噤者畧開灌之立效若斷噤則灌入鼻中

大抵産後大眩則汗出而腠理疎易於感風也

一治産後角弓反張　以黑豆微炒淋酒調下

一治産後衂血　荊芥穗焙爲末童便湯下

一治産後大小便皆不通　紅花葵子滑石檳榔等分為末空心酒湯下

一治産後水腫　澤蘭防已為末每服二錢醋湯下

一治産後不語　人參石菖蒲蓮肉各為末每服五ク水煎温服

一治産後水腫拘急疼痛并瘴瘧等症副該隊節朝侯傳

香茅根即檴苴　硇硝各月一　木通燈心各月二　姜黃一月便燥倍加小便微利或瀉不用　右水十二盞煎至弍盞每日三服壯人一盞一服虛人一盞分三服　服後食井糠二三口腫消痛止各節猶悶楚仍以水藥塗之仍前所飲之藥　其忌物酒醋酸味心猪契芎盐蝦牢

肉宜食芥菜猪骨煮爰鱔魚之類

一治産後無故遍身起腫常人並治柴貼傳 昌橙核水煮洗之

一治産後浮腫症翁良痊傳 硇硝一月 木香五ワ 芊拋五ワ 各爲末每服一二錢一日三服燈心煎湯下最忌食塩後以黄姜胡椒欝金烏龍尾各爲末每用一ワ和鷄肉食之後始可食塩

一治産後浮腫 硇硝芊拋盃母芊分爲末塡入芭蕉菓吞下禁食塩鹹物

一治産後未滿月遇風遍身瘡疥如虫行 食塩三月水煮百沸淋洗

一散血神藥柴閭傳 姉核青燕切片炒 莪朮生用芊分飲二三月爲末酒調分二服

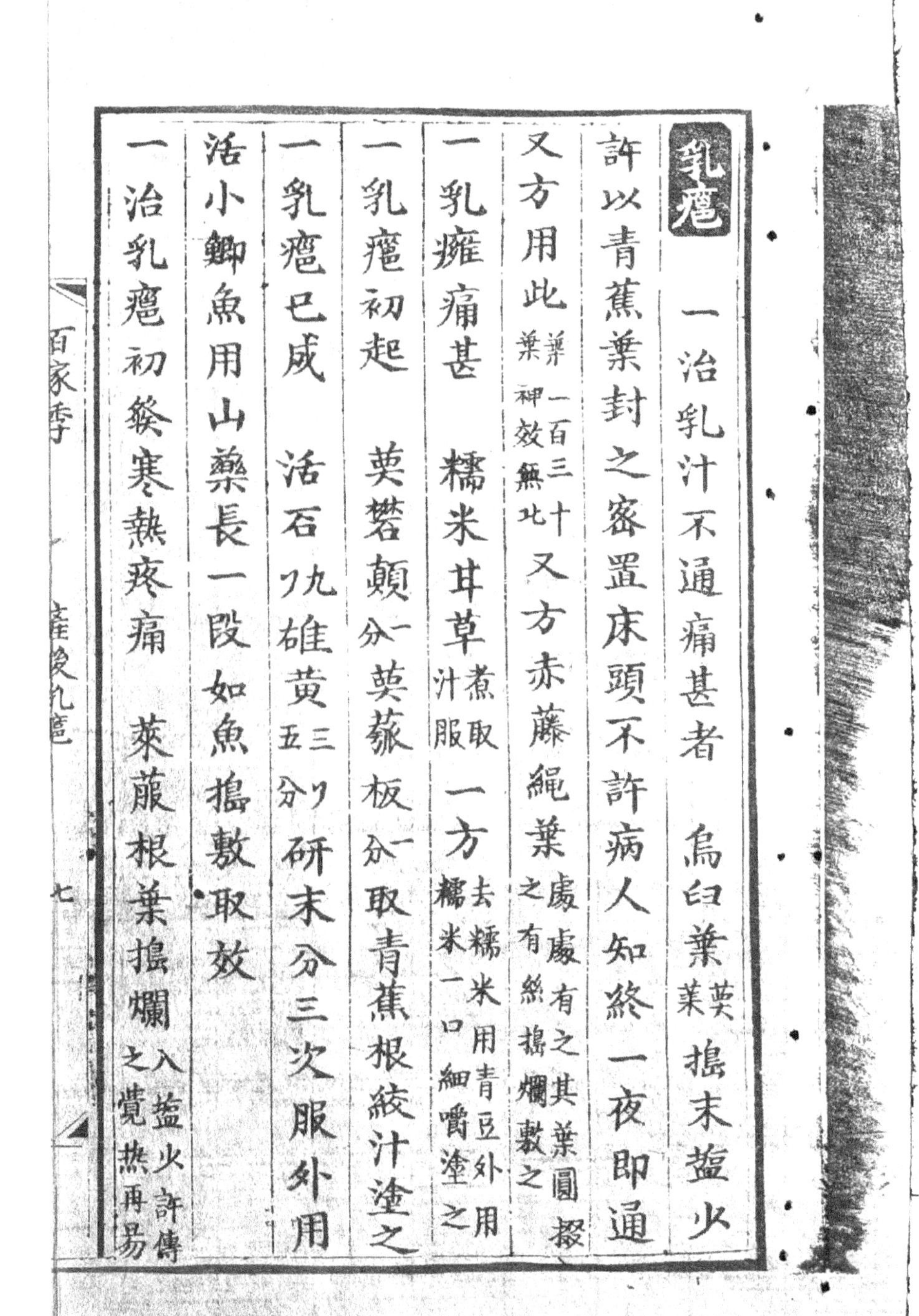

乳癰　一治乳汁不通痛甚者　烏臼葉（葉莢）搗末盦火許以青蕉葉封之密置床頭不許病人知終一夜即通

又方用此（葉一百三十葉神效無比）又方赤藤繩葉（處處有之其葉圓掇之有絲搗爛敷之）

一乳癰痛甚　糯米甘草（煮取汁服）一方（去糯米用青豆外用糯米一口細嚼塗之）

一乳癰初起　萸醬顛（一分）萸藜板（一分）取青蕉根絞汁塗之

一乳癰已成　活石（九分）雄黃（三分五分）研末分三次服外用

活小鯽魚用山藥長一段如魚搗敷取效

一治乳癰初發寒熱疼痛　萊菔根葉搗爛（入盦火許傳之覺熱再易）

一治婦人乳癔痛不可忍　真陳皮去白炒爲末每服壹錢酒調射香少許送下初𤼵一服立消

兒枕痛

一治兒枕痛　綿花子炒黄擣末煎飲一鉢(即止)

又方産後急取丁䕸并枝葉洗淨炒黄煎飲代茶

一治兒枕痛　祕莢紅莢蓉(生在山中其樹皮紫者其根食如杖梅)炒黄煏茶服

産後諸症　一産後半身不遂或手足不遂(得之症方 集六方)

當歸赤芍生地防風(酒炒)牛必木瓜黄栢烏藥(酒炒)蔓荊子或莢虉金莪朮(醋炒)姜三片童便水酒煎服

一產後悪露不行凡新舊諸悪血並效　桂枝山澤蘭生用根葉青莪朮生用等分晒乾為末做二三月分服二度酒送下

一產後變生諸症喉中痰壅有聲　甘草桔梗山豆白礬等分為末取絹包二錢含化痰下而愈

一治壯熱頭疼頰赤唇焦口渴煩燥昏悶　松花蒲黃川芎當歸石羔各等分紅花少許水煎温服

前陰病　一治婦人陰腫痒悶　大蒜煮湯洗之取呂鼻狂散末八松脂熬膏塗之一如腫起胡椒九粒水煮温浸洗之

百家季　產後

一女人陰戶忽然腫起柒閏傳已多經治 胡椒九粒水煮温洗之立效

一治婦人陰中冷痛 丁香爲末盛紗袋中納入陰戶

一治婦人陰戶痒痛或腫甚者 昌節狂散末入松脂熬膏塗之男子玉莖痛痒亦可調塗此膏亦妙

兒科

一小兒初生洗浴 薏苡根葉煎湯浴之無病

一小兒初生驚動 硃砂磨新汲水塗五心即安

一小兒初生不啼 井水花冷灌之以葱白莖鞭之即啼

一小兒夜啼牛糞一塊安置床下勿令人知 又方犀象皮磨清水服之

一小兒夜啼經月不止正隊長北江侯傳虎皮置床下勿許人知

一治小兒客忤柴雎傳牛必藥男七女九草麻葉䄂蚌外莐萸銅

錢男七女九二味搗末水三鉢煮沸投此錢入以葉盖塌口

燻之又以此水洗之又以衣浸此温水衣之見瘡如生毛即愈

一治小兒脂腫　以荊芥煎湯浴之即效

一小兒驚癇不知人嚼舌仰目直視或作六畜声犀角水磨濃灌之

一治小兒嫚驚昏洸或搐　以烏藥磨水灌之

一小兒撮口脂風噤風并口噤治七日内牛黄一分研竹瀝調勻灌之

一治小兒口噤不乳・蟬蜺二七枚 全蝎二七枚 為末入輕粉少許乳汁調灌之

一小兒口噤 噤風面赤氣促舌強唇青聚口等症

真僵蚕二枚 畧炒為末蜜調傳口中即效

一小兒初生大小便俱秘 真香油一月巴硝少許同煎令定徐灌八口中下即通

一治小兒小便不利丹腫腹脹 仝媒菜十分 柳氈葉五分 二味炒黃水煎半盞服再取仝媒菜生搗塗腈上

一小兒初生吐乳不止 義朮少許搗一小豆乳一合煎三五沸即止入牛黃兩粟米服之

一治小兒嘔吐不定 五倍子一个半生半熟甘草灸一寸 為末米汁調下二刀

一治小兒水瀉　白礬黄丹各五錢同研塗脐上

一小兒下痢赤白相雜或純血并水泄症柴番傳

黄連四分姜汁浸炒木香一分各為末醋糊丸以車前鳳尾草鞋

氊蓆煎湯送下每服十凡

一小兒腹脹水泄下血似痢咳嗽手足冷或發搐前鋭奇儼侯傳

蜂窠一丹僵蚕蝉蜕各五フ蛇蜕三フ全蝎一个各燒灰為末以

活鹿乗擣汁湯下三歲以下每服一錢半四五歲二錢

如發搐加石羔等分調服

一治小兒重舌本宗人翁蚕傳　烏龍尾食塩韮葉鷄卵取紅彩
天桂一名桂姤俗名巧陀𧬤　右各味八土堝煮熟先以銀針針痛處出血以葉塗之
一小兒丹毒本宗人翁蚕傳　芥子研細水調内服外塗
又方楊真妃葉其葉上青下紅　水煠内飲外塗
一治小兒丹泥症楊業傳　黄連黄栢黄芩木香各三分　厚朴梹
榔豆寇各味共磨水隔水煎至九分每日三服
一治小兒丹毒照兒每一歲服一丸見瀉爲佳　大黄
大豆俗号菓藍洪水多得各一ㄱ　川芎三分各爲末水丸如麻子大用藿香煎湯送下

一小兒胎毒生瘡 副詠隊護 朝保傳 丁香 五个 大楓子 十仁 胡椒 五粒
白礬 一塊 硫黃 一戔 雄黃 木凡子 三 各為末和猪脂塗之
一小兒胎熱生瘡蔓延遍身啼哭不乳 血餘灰 苦參 香油調勻塗之
一治小兒惡瘡生於面上淋瀝黃水所致破痒
蛇床子 昌蒲 往共為末以香油熬成膏調塗之即效
一小兒瘡瘖 紇粒 紇 昌蒲 往 丁香 桂枝 草薢 胡椒 龍腦
各味 等分研調 猪脂塗之 又方自乾柳房在樹上者燒黑 香油調塗之
一小兒胎丐症 大黃 石羔 苦參 血角 各四刀 官桂 木鱉

子硝硝各三ㄅ　穿山甲　南芾　遂忌鉄去黑皮取白皮　各味水煎濃塗之

一洗胎藥方或遍浴亦可　莢根　莢蕢　莢槐水煎冷定

浴之再取莢根莢蕢研末調香油塗之

一胎毒生瘡侯首番領傳　槲苔五分　狗骨炙焦五分雄黄二分番凡二分各散末調猪脂塗之

一治小兒初生百日咳嗽　貝母五ㄅ　芾草二ㄅ半生半熟

為末砂糖凡枳實大米飲化下　一小兒熱病　髮灰合烘鷄子黄水煎服之

一治小兒瘧疾　常山根刺作人形釘在小兒長生方

如金命長生在巳之類・　一凡藥治小兒諸病翁良痊傳　石羔一ㄅ　大黄

一分半粉草一分大豆仁葉蓋各爲末清水煉丸如青豆大硃砂爲衣每服一丸薩湯引用

一腹脹以清水磨服

一大便秘清水磨服

一小便秘木通煎湯下

一咳嗽痰多生姜湯下

一下痢車前子湯下

一熱多山梔子煎湯下

一寒多用清水湯下

一驚癇以清水磨下

一胎毒羸瘦男四君女四物煎湯下

一瘧疾鷄卵壳弁飯一塊共燒煎湯下

一急慢驚風羊糞搗末調水湯下

一小兒白舌滿口白瘡　車前葉連錢紫葉俗号腸鼓萎酸

漿葉桑白皮活鹿皛淹右各味平分搗末絞取汁磨井草自礬肉桂塗之即效

脾病

一治井瘡生耳上　以白米細嚼塗之

一治小兒脾積得效方集六方　穀星草晒乾研末黑丑炒研石決明煅研右各等分和勻用藥六七分加砒霜末半分和鷄肝一具研作餅新尾上灸自食之或研細以蘿蔔子炒研泡湯調二錢服亦妙不過二三服即愈已盲者復明

一治小兒脾病生蛔蟲　觡䔩灸猪肝蘸米食之

一治小兒無辜脾此症出本草其症下痢赤白　髮灰調鷄子黃伴飯喫

一治小兒五疳病　夜明砂草決明蘆會爲末入猪肝服如疳熱加黃連　又方自立秋以上衩丏蟹留使肉爛生虫取虫炒黃散末入射香少許每服半錢菊花煎湯下此治疳眼尤妙

一治小兒疳眼漸盲　蟾蜍丏蛤去心醋浸以桑葉包數重炙熟食之立效

痘瘡

一治瘡既出四五日腹痛　桂枝炙草各ク一白芍ク二大黃少姜棗水煎溫服　一治痘後餘毒　人參赤茯苓姜活獨活前胡柴胡枳殻川芎桔梗甘草牛旁防風荊芥連翹杜仲牛必木瓜金銀薄荷等分水煎空心服

一治痘後餘毒生瘡柴香傳　血角大黃木鱉子赤小豆各爲末以馬齒莧擣汁入猪脂白雲和藥塗之

一小兒預防瘡痘醫宗柴良照傳凡見薼里發痘宜用此預防之　苦練子不拘多少煎湯浴之　又方胡蘆花不拘多少陰乾待除夕夜煮湯浴之

一痘後關節腫痛　萸蔞卽水少許煮熱塗之

一痘發痒　蓖那的雄黃水磨塗兒十指頭立止

一痘痒不問氣血邪熾並速神效累累試驗　野芋根哭矩葺切片入白蜜蒸熱塗痒處立止

一稀痘方合付傳

白童男糞（男七女九）小田螺（罘屋索）猪糞一塊（火煅紅）將二味搗爛
入清水少許次入猪糞灰調勻安置一宿澄清冷飲已
見發熱者可服若見點始服者亦稀出脊者忌服
一治痘發隱在皮膚皮外枯燥乃邪閉皮毛（宜用熏法得效方集）
金銀花（二斤）紅花（七兩）入大砂堝煮五六沸以荷葉蓋堝口
鋪衣于床上安兒于衣上再以重衣覆之將堝置于床
下穿荷葉數竅使藥氣上沖兒身透徹腠理內服透肌
解毒湯加麻黃其痘隨汗而出凡痘已發而皮膚枯不

能起脹者亦宜以此湯浴之其拔毒托痘勝於藥力遠矣又如險痘内服托藥宜以此湯外燻之尤爲捷法

外科

一治一切瘡毒並發背欲死者（出本草卷十五八十一張）以芭蕉根搗爛塗之

一治風瘡　雄黄爲末水調塗之

一治疔腫垂死　菊花（一握）搗汁（一斤）入口即活（又方）密陀僧水磨塗之

一治凍瘡　黄茄根莖葉煎湯漬洗之

一通治大小瘡疥　昌帝狂昌矩豆鬱金各平分硫黄少許和猪脂塗之小兒用香油調塗之

一治遍年風痒生瘡疥　以茵陳葉煮濃塗之

一治惡瘡潰爛至骨　鬱金為末以黃蠟香油調勻入鬱金末研細熬膏塗之

一治兩足生瘡痒甚黃水浸滛柴同淋傳二方　桑葉搗細鹽

少許塗之一日三易三洗又方黃栢二錢輕粉一錢猪胆汁調塗之

一治諸瘡疥　巴豆十粒木鱉子十二粒牡丹七枝槐七枝用皮各

散末以清油一鉢煎至半濾淨塗之

一治面上生腫瘡新久並治兼治疔瘡

蟾蜍一个剖取肝一具丁香三个調入散末貼痛處頃刻見效

一治諸悪瘡 馬勃叉捻達核皂去膜容調塗之

一治悪瘡潰爛露肉 側栢葉搗細絞取自然汁飲之

一治瘡口不合 亂髮灰蜂房灰蛇退灰各散末調鷄子黃外塗內以酒下一ヲ甚效

一治積年悪瘡腫毒不愈 鷄腸草叉姜若搗取自然汁塗之立效

一治諸瘡遇風遇水發腫痒 蓬生用搗爛煎熱塗之火瘡容調塗亦效

一治兩足內外臁生瘡日久蚕食外痒內痛有虫 昌苊燻取油塗之

一治諸瘡通用膏藥 姜黃一刃 野芋二刃 桃油五ヲ 鬼臼油

油菜三ヲ 麻油二ヲ 烏鷄脂一ヲ 煮至藥枯黑濾去滓入松脂一

鉢黃蠟三ㄗ乳香沒藥各一ㄗ為末以桑柴煉成膏用硃砂
一錢散末混入此膏塗之　一治玉莖諸瘡　丁香茴
香木香射皮井草桂枝沉香白芷黃芪黃芩大黃茯苓
人參苦參黃連蒼朮烏藥各一分為末水一鉢煮至七
分空心溫服又熱加人參寒加附子
一薰藥治諸瘡疥柴勇傳　樹上自乾椰房燒黑三分　百草霜二分
百信一分　各為末敷草紙上捲作筒燒烟薰之一度發膿二度結靨三度愈
一治惡瘡潰爛腐不生肌　真珠兼雞魷兼丁香一ㄗ搗爛塗之

一治瘡毒腐爛成穴流膿不止切痛不休柴勇傳英核箴貝葉其皂角相似搗爛塗痛處薰洗亦以此藥三七即愈

一治風氣瘙痒朱眉用根葉皂角共煮先薰後浴其風即散

又方蒼耳藥為末每服二錢以黑豆淋酒調下外以英蒲凡英覞淋蒼耳藥棒藥水煮薰浴

又方蟬蛻葙荷等分為末酒服二錢每日三服

一治體如蟲行乃風熱也以地黃醋磨塗之

一治頭風甚痒參督姜玉侯傳木瓜子十五粒燒存性水浸一宿至次日沐浴三四次即愈

一治遍身瘙痒　白礬一両 輕粉五分 散末酒調搽後以藁一熏之

一薰藥方　荆芥 苦參 蒺藜葉 芙蓉葉 蒼朮 白芷各等分熠熱薰之待冷遍浴

癍癮疹

一治癮疹風痒　以楮枝莖煎湯洗浴

一治皮膚發熱癮瘡　黃栢爲末竹瀝汁調塗之

一治癮疹俗号機蛤　用蛇蛻包絹內外含入口中取津液擦于癮上自然消落

又方　初起肥大者以火燒之至爛之諸小瘡落

一治白疹　石信少 貝母 硼砂多 生研調入熱湯先以利刀刮破皮膚後塗之

一治黑白癜風　硫黃陀僧ㄗ各一 石信六分 俱生研用青醋調匀日擦三四次来日早又洗去　一治諸癜症煙藥決明子研末調青醋以布包擦之

一治白癜症　脯核榫用鮮為末或醋或酒調匀以布包擦之

一治赤癜白癜　莢蓑良猪食者其葉三莖擣末用布包擦之

一治黑癜　川椒蕐為末醋調或酒調用布包擦之

又方以古劒鉄衣為末以橙汁浛争調塗之

一治一切腫毒　黃芪甘草白芷穿山甲歸尾ㄗ各三病

在上部加川芎在中部加杜仲在下部加牛必在四肢加桂枝酒水各半煎服

一治無名腫毒與䲆瘤　取改塟七星板一𠬛勿許病人知置床上席下使病人卧上三四夜消盡爲度

又法用改塟下棺板上散末火薰于床下立消

一治手指忽然腫痛　烏枚仁爲末調苦酒以指浸之

一治面生腫瘡大如橘葉或三五相連者　丁香紅槿葉或白槿細嚼混入丁香散末塗之　一治面上腫如梅槐子

無花菓俗号莢克椒莢币固乳水煮熱每日常常熏之

一治喉間生腫毒或三四葉或五六相連難撻頷者

松脂龍腦安息香水銀雄黃辰砂各味爲末煮膏厚敷

上貼之穿紙露瘡頭使毒氣發泄　一治瘰癧結核

紅娘子十四粒 乳香砒霜各一ㄗ 䃃砂一ㄗ半 黃丹五分 爲末糯

米粥和作餅貼之自然脫去 又方夜明砂煮常服代茶

一治瘰癧已破則合未破則消　香油一斤六月 大黃六月 爲

末八油煮化濾去滓再煮下黃丹半斤 炒過石灰五ㄗ 乳香

五ㄗ 黃蠟二月 漫火熬膏攤貼　一治瘰癧祖傳　斑蝥

去翅足伴糯米炒黄為度一分 血竭三分 各為末混一每服一字錢分四

服以酒送下以利小便為度 若小便去過多以白米煮粥食止之

一治腋疽 俗号马搗鵶 老姜一丁 丁香 四个椒矩荖乡餅各搗末調清水敷患處

一治瘻瘤或破或未破 俗号塲岳 南胡椒葉搗爛入塩少許塗之內服金銀花代茶

一治鬼射症 萸青蒸水煮待冷洗之後以萸捽麻萸

笳蘧 一名核脾鵶 各搗末青醋塗之 又方脯核眼椒尼固根忌鐵水磨半飲半塗

一治疔毒腫痛 中尉參武伯傳九方 白菊花葉搗爛入塩少許塗之

又方 萸萎茗紫搗末 塩少許貼之 又方 萎捲照丁香搗爛塗之

又方　莫莰䒹擣爛塗之　又方　白後葉擣汁飲滓塗痛處

又方　鋸齒葉擣爛入塩少許塗之治極痛者最效

又方　烏賊骨研末水調用鵝毛刷之勿乾内飲菊花茶

又方　嫩桑葉擣爛入砂糖塗之内飲金銀花發寒熱服荊防敗毒散

又方　莫鬼射紫擣爛入塩少許塗之　又方　桃仁一枚水調勻内飲外塗治疔發在唇上

一治疔毒内爛久不合口　莫㭁莫青燕莫捽莫僨莫

紫蘇右各細末以青蕉葉包外塗患處日夜换数次又

以椂㭁去粗皮取黄皮研細末入瘡口外照此塗之

一治十八種疔毒塗之立潰（翁府長慶傳）莧磬顛坦　多浮萍桑火青蕉根三味細研以大黃（黃栢朴硝黃芩苧分水磨調前藥塗之）

一治一切疔毒并丹毒癌毒（禁良好行鷂傳）莧磬顛坦（三分）莧藤紫莧尋腮（各一分）三味混為一搗細敷瘡處未膿則消有膿則潰如初起未膿者白蠟（三分）銀硃（一分）以猪脂同煮成膏貼之前藥圍敷瘡外

一治癌毒初起　莧磬顛坦（一分）莧瓜板（一分）搗爛取青蕉葉汁調勻塗之

一治癌在各骨節處或新久諸藥不效　白花蛇　赤花蛇蓬尾藤蜈蚣藤用（無毛樹）烏藥泥香官桂井草金銀花

用酒大碗入藥重湯煮以粟粒開爲度（取酒埋土中去火毒飲之）

一治諸般瘡毒初起立消有膿立潰（泉井社俌生傳經驗屢效）

乾牛糞（燒灰爲末）荊核芰（研碎荬奴少餅芰）等分以鷄卵青調勻塗之

一治瘡疽兼治發背腫痛未成即消已成即潰（生肌甚速蔬校傳）

白礬（五分火彤研）肉桂丁香茴香（各一刀）乳香沒藥（各五分）龍腦

黃丹（各一分）大楓子綸艚（各一分）射香（少許）各研極細先以香

油一大碗投入黃蠟（一月）熔以盡化爲度次入諸藥末若

乾再添油煮成膏收貯粘之

一治一切瘡疽腫毒

雄黃不拘多少為末和麪敷在瘡上以大艾注灸之以愈為度不拘壯数連灸三四次無膿者消有膿者亦縮

一治瘡疽發在兩足　苦練葉皂角炒青豆搗爛塗之

一治瘡疽尿下腥臭不已　白芷一刄紅葵根二刄枯礬白芍各五刄為末化蝋凡梧子大每服十凡空心米湯飲下膿盡用補藥補之

一治瘡毒腫痛　以苦茄子醋磨塗之

一治臂瘡　乳香五刄没藥三刄桃油即桃油煮成膏貼之

又方　雄黃大黃各五刄為末溶黃蝋三刄入藥調匀貼之

一治癰毒及諸瘡名萬靈膏　密陀僧（三月研末）　血餘（水洗）　皂角（淨三リ）　黃蠟（二ヲ）　黃油（哭油山七月）　右黃油陀僧末血餘入砂堝內用炭火煮見血餘化盡入黃蠟為膏（收貯俻用以紙攤貼之）

又方　黃蠟香油黃丹松脂漫火煮成膏貼之

一治發背及諸大腫毒腫痛　冬瓜（去皮心）　擣爛又用血角皮散末擦之瓜上以瓜培藥患處（內服十宣化毒凡未膿即消已膿即潰）

又一方大蒜與冬瓜同擣細貼之

一治發背初發　穿山甲（四片）　牛皮膠（四月）　二味俱置在新

尾上焼灰研細用酒二碗調勻從容服完永無大患外用牛皮膠少用自然姜汁同水熬膏攤貼之

一治發背　莧菜嫩青豆細嚼以青蕉嫩葉穿孔貼瘡上

下疳

一治莖頭生一小瘡久久蚕食過半或食盡而死

貫衆連根葉生在海濱俗呼榕朗常取盖屋擣末調水將玉莖浸入做盡銅壺一缽隔一釉又浸如此三四次其根切片微炒煮飲之

痔症

一治痔漏穀道內腐成穴或突如鼠乳痛痒極甚流濃不止

赤石脂一少胆礬孩兒茶乳香没藥天花粉各五分冰片三分

射香二分各爲末乾摻之於痛處立愈

楊枚瘡

一治楊枚瘡諸症承天官傳累見神效　水銀烏賊骨銀硃各二ㇷ錯半一ㇷ右各味細末撒紙上捲作筒一料分爲三枚每夜燒一枚以萎蓀水含以禦齒

一治楊枚瘡及誤食輕粉毒以致手足癱瘓筋骨疼痛不能步履壞肌傷骨服此除根永無後患黃明玉傳

土茯苓一斤乾者一ㇷ防風木通薏苡白蘚皮金銀花各五分皂角子右各味水煎空心服一如熱毒下流加青豆一合五倍子馬齒莧一把土榻水

煮滚下硫黄一九熏之冷則浸洗　一若氣虛加人參血虛加芎歸牛必
一若肺熱咳嗽去茯苓倍薏苡金銀花
一治天砲各症柴弘家傳傳柴縣平陸再傳　食塩二月　緑礬一月　水銀三
神砂硃砂各五分　人言龍腦各一分　右各味以好酒噴濕用
新塩器二口盖定塩泥封固置土堝煮之燒盡長香九
株為度取出括取粉在盖上以紙包凡如菉豆大每日
服一凡入青蕉菓吞下內忌婦人犬不許見　鷄又以土茯苓煎湯
取前粉凡和酒塗瘡四圍　一治天砲症縣丞暎忠男傳

銀砂硃砂水銀錫各ㄱ一射皮用乄丁香𠆤一茴香𫟼一胡椒粒一

龍腦乄許粉草右各味爲末散紙上卷作枚每枚入菓

一治天疱累年不愈本歘社好才傳兵梅遠硃砂神砂雄黃地黃

銀砂龍腦烏賊各二月水銀五分右各味研細調入飯許鷄

食半日前半日後將鷄宰肉煮爛去鷄取水將糯米煮

粥自食之如鷄小用半藥半飯切忌食鹽

一治天疱悪症經年諸藥不效　丁香射香豆蔻蟬蛻

升麻朴硝黃連泥香茴香白芷桂枝草菓燈心各ㄱ一人

參白芍柴胡黃芩前胡當歸川芎熟地大黃黃柏天門
麥門砂參玄參苦參薄荷荊芥木通龜甲土炒枳殼各三ㄗ
甘草赤茯苓梔子檳榔僵蠶蒼朮白朮陳皮各一ㄗ白茯
苓赤芍防風連翹各五ㄗ黃芪六ㄗ右土茯苓倣十月浸酒
燒過切片再浸酒炒乾又浸白盞炒乾與前四十六味
切片混為一料水十二鉢用大土埚煎以蕉葉封埚口
常服代茶勿飲他水係飲一鉢再添水一鉢不拘朝服
洗以芙蓉葉搽水日洗三次

一楊枚病論（得之四十三方 / 症方集） 其症候由扵湿熱邪火所化三焦精氣血結遺滞諸經而成始因男女交接遇人素有此症傳染此氣故其爲病初起惡寒發熱肢體疼痛小便淋濁漸至瘡粒大小不一上下無定處久而潰破日漸漫爛惡臭难當甚則爛皮破骨故病有輕重遲速隨所感而治之宜祛熱毒扶氣血爲本不可欲速妄投水銀輕粉及薰吸等法此雖助痛扵一朝而終身遺害不小玆畧述方法于後以別其治療焉

一男女通治真傳神效　白地楊根切片炒黃二兩　獨藥苽根切片炒黃二兩　石冷一兩　活石一兩　共散末用土茯苓一斗生用　水二十鉢入砂堝煎取十鉢每空心服一鉢不可過服變生狂悶耳草解之若前誤已服輕粉愈速效

一治腫薰藥真傳神效

黃蟾蜍一隻去心燒黑為末　銀砂一少　芙蓉葉一把　與二味同搗爛入土堝水煮之以青蕉葉蓋堝口穿葉薰之即效

一外傳瘡藥兼穀道生瘡似痔者真傳神效

龍腦一分　烏賊骨二分　活石半分　共為末塗之

以上三方真傳屢治屢驗得於總條傳来以下皆備用也

一治楊枚諸症　射干三月烏藥一月朴硝二分大黄三ワ地骨皮火許防風連翹各三月蟬蛻一月荆芥黄芩各三ワ芙蕾葉一月菰茄砲水三鉢煎至一鉢空心服如男症加銀珠又一方加牛匕薏苡仁

一治婦人鮝塊兩邉陰戶寒熱疼痛用消風敗毒散　歸尾川芎赤芍生地升麻乾葛黄芩各一ワ　黄栢黄連防風各八分姜活金銀花甘草各五分　蟬蛻二斤大黄朴硝水煎服

又方蝴蝶獨力土茯苓各等分水煎温服

又方烏賊骨ケ一活石ケ一石砱ケ二共爲末以獨藥茄ケ一土茯苓ケ五水三斤煎至一鉢調末藥一二錢送下

一治男女瘡入骨節與外發瘡而便溢成膿

曲剌半一刄金剛刄一菟兵刄一白地楊根刄一桑寄生刄一荊芥刄三莍茄砲ケ七木通ケ三杜仲ケ三金銀花ケ三防風ケ二甘草ケ一射干ケ一棗葉ケ一水三鉢煎至一鉢每日二貼飲

一治瘡發頭上　當歸川芎赤芍生地梔子連翹甘草黄栢金銀花白蘚皮皂刺木瓜木通荊芥姜活防風白芷土茯苓水煎溫服

一治𤺋在手足　歸尾生地白芍川芎黑丑穿山甲金
銀花牛旁知母黄連大黄黄栢薏苡木通姜活蟬蜕白
蘚皮猪苓天花粉澤左連翹木瓜牛夕甘草梔子先服
一貼後加大黄三片煮熟擧出又加朴硝用水七鉢煎
至一鉢每日三貼服即愈　一治泥泥黙黙骨節疼痛
白蘚皮防風赤芍連翹黄芩牛旁金銀梔子歸尾荊芥
槐花羌活黄連甘草木通地骨熟地水煎服又方活石五月
菰茄砲月炒九土茯苓月炒九水十鉢煎至三鉢空心服日二三次

一治發核二个　黄芩荊芥金銀蓿荷大黄皂角子土茯苓皂刺蟬蛻加棗二枚葱三根水煎服　一治孕婦遇發楊枚瘡芎歸熏芎芩連金銀木通活石連翹梔子丹皮陳皮白朮茯苓耳草土茯苓各等分為末以土茯苓水煎為丸如梧子大以硃砂為衣每服三十丸以土茯苓為湯送下

一治斂口瘡　金銀薏苡烏賊骨活石射皮白楊皮土伏苓各等分煎服

又方土茯苓半斤人參一月白地楊根一月梔子二月黄連一月水十鉢煎至三鉢空心服

又方土茯苓白地楊各二月片腦少五水十鉢煎至三鉢日三服

一治發瘡肉爛腥臭　土茯苓炒四兩皂角七粒水煎代茶飲淺者二十七日深者四十七日見效

一治無發寒熱發瘡各處　歸尾防風黃連黃芩黃栢

黃芪白芷鬼見愁枳殼金銀花荊芥獨藥茄羌活土茯苓皂角大黃各等分水一鉢煎七分溫服

一浸酒方　紅花烏藥川芎白朮甘草熹干蒼耳芍藥

防風防已荊芥當歸茯苓牛必木瓜杜仲黃栢升麻

一治玉莖發瘡　丁香木香茴香射皮甘草桂枝沈香

白芷黃芪黃芩大黃茯苓人參苦參黃連蒼朮烏藥各

等分為末水一鉢煎至七分空心溫服有熱加洑參有寒加射香

一丸藥方　黑丑五加皮白蘚皮歸尾天花粉川芎生地土茯苓甘草各等分為末糊丸梧子大用土茯苓煎湯下每服三十丸

一治天疱丸藥　神砂一分龍腦七分水銀一分射香一分芙蓉葉一ㄅ半牡丹一ㄅ半蛇床子半分粉米各為末容丸如青豆大每日一凡納入芭蕉吞下

又方雄黃一刃皂角七粒胡椒七粒共為末糊凡如梧子大黃蟾為衣以清水送下三丸

一治楊枚諸症　活石雄黃各散末糊丸梧子大百草霜為衣每服五丸

一如腹痛酒湯下　一如腸痛茵陳葉湯下

一如脚氣牛必湯下　一如下痢米水湯下

一男女共服方　南木香五加皮各三ㄗ鉄粉牡丹硃砂

神砂水銀硫黄各一ㄗ各為末每日二服酒一盞化下或

糊丸如梧子大每服五丸酒湯下腹痛加大黄一ㄗ去牡丹

又方銀砂水銀各二ㄗ硃砂神砂各一ㄗ射香丁香茴香乳香

各五分茄茄砲五ㄗ烏賊三ㄗ各為末每服三ㄗ用土茯苓水五鉢煎至三鉢日三服

一治楊枚初發一服能拔毒除根永不再發

全蝎在鹹者佳船去頭足燒乾為末空心服六錢姜湯下不

可再服仍掘地一穴令瀉下即愈

一治楊枚諸症不問新久二服永除無外妨亦不內損

臭鼠一臭辛夷樹皮即核椰氈切作一片一方用蝌核粘量鼠子長濶如鼠子形置鼠子在上夷皮在下以繩縛之已定用土堝一口置堝内盖堝口以土泥封厚可一寸半穿一土灶以黄薷柴漫火煮之至一日夜破至土炭塊取鼠夷同搗末每服半錢文水一盞調下不拘粗服病深者不過三四服瘡平痛止永不再發

一治骨節疼痛　椰子壳燒存性爲末每釉炒熱以滚水酒調服二三錢覆衣取汗其痛即止

一治楊枚已愈其積未除久後遂成毒注脚心生瘡如魚目𦬇若不急治即腐肉爛骨而死　木綿皮紫丹葉萆麻葉茄獨藥葉補樓𦶇嫩葉檜䃎葉羊糞各等分搗爛入古錢七文乾土堝内水煎熏乘熱熏患處待温浸洗浄以巾拭乾用辛夷葉水煎濃取汁客陀僧磨塗之乾再塗一日一次熏塗如法以愈為度　一治爛瘡甚臭螺螄殼取在壁上多年者硃砂等分片腦許少散末敷之

一治連發肢體或成膿瘡　陳石灰為末用天雨水浸

四五日愈久愈佳取起陰乾每用抈調麻油塗之

一治楊枚諸症　水銀五ㄗ黑礬一ㄗ食鹽一ㄗ人言三ㄗ龍腦五ㄗ硃砂神砂各三雄黄六ㄗ酒三盞並入南鉢蓋定縛緊泥土培厚置鉄架上以黄蒿柴煮前武後文燒盡香七株為度取出刮取在盖上以糊為丸如梧子大每服一丸用燈肉為皮或黄蠟或飯為衣或入蕉菓吞下七日全愈

一天仙凡治楊枚諸症　白芥子防風木通防已薏苡茯苓金銀白蘚皮皂角刺加土茯苓一斤各為末叅凡黑豆大每服五十凡土茯苓煎湯送下

又方 神砂硃砂雄黃丁香茴香龍腦銀砂射香乳香没藥為末飯丸梧子大每服五丸（入芭蕉葉香下或用火燒吸入鼻中或塗外亦可）

又方 大黃（炒フ二）大楓子（炒八粒）丁香硃砂（各フ一）青塩白礬（各フ一）水銀（七分）為末飯凡梧子大每服三十凡白水送下

一治年久楊梅頑瘡不愈 水銀（フ一）枯礬硃砂（各フ半一）為末全蝎酒煎膏為凡作六凡分三日服以羊肉鮮魚苛湯送下九日全愈

又方 大黃酒蒸熟（フ五）赤茯苓（フ二）玄胡粉（フ一）穿山甲炒黃（フ五）乳香（フ二）没藥（フ一）鹿角（一フ五分）

一治玉莖腫形如水瑩　萆薢防已茴香蒼朮白蘚皮乳香没藥梔子甘草節白地楊柁一治楊枚天砲等症銀砂硃砂神砂雄黄各三㑹茴香二分胡椒十五粒各味散末用水油烏藥浸以紙卷作燃點燈口含水熏視又薰藥　莄茄獨藥莄萎蘇莄葎莄墓塊莄茄荄各味煎蒸薰之薰後又點藥燈覷之　一内服藥　石信五㑹銀硃水銀各一㑹共為末取黄蝦蟆一个去心入末藥以紙煉土作堝入蝦蟆泥固封之用粟殼一箕置土堝于

內文武火燒三次取出放冷刮取揭內藥作二十丸如小豆大許鷄食七丸以致鷄死取鷄煮熟食之

一法用猪小腸入藥一丸取綵縛二頭入口吞之如此七次亦神效再取次揭膏取橙葉汁和勻塗患處一次而止即愈

一治大風癩疾丸藥方得於逵方集即鍾傳四方

五分萸油紫五分萸苦參三分萸荣參即紅花藥三分萸青蒿荊芥蛇床子各三分人參一分白芷三分以上皆用南藥大楓子一斤苦參二月龍腦二分以上皆用北藥右各味共研末藥二分糯

萸藤五分萸蔓荊

米一分爲丸如梧子大每服六十丸以土茯苓煎湯送下或小便不通必加地膚子日服二三次夜服一二次如病將愈倍人參減白芷痊完加茯苓黄連丁香去大楓子

一塗藥方　射香龍腦荆芥苦參蒲丸皂角黄栢人言雄黄丁香氷片白礬蛇床子曷鄉狂曷矩豆各研末加猪膏隔水煮塗諸患處。丸藥如足冷者加桑寄生牛必胳一外以蜅螬和酒塗之足腫者外塗藥以荑油紫謹押以布束之。如瘡腫起者以木棘刺之以冷水洗

以人言磨水塗之做四五日必然戮落又以莫紅花散末篩塗此處凡諸皺裂處亦然

一治大風手足四肢拘攣瘡痒節痛等症其煮藥法如煎煮天疱藥法

水銀一刀二分　黑礬一刀　白鹽一分　射香一分　人參四分　桔梗二刀　柴胡二刀　白朮三分

各味混為一入新南鉢蓋定鹽泥封固煆熏取開刮取鉢內藥皆赤白色以糊為丸如梧子大壯者服五丸弱者三丸白米湯空心服男服七日女服九日為一度二三度見效

一治大風薰洗藥方

茄獨藥葉　橘連葉　蒼耳葉　白鬚

藤木柘葉柳葉苦參艾葉松葉煮熏前薰後浴之

製造藥法 附凡藥

一造神曲法 六月六日此日諸神會集故名神曲過此日非神也或以此日備辦藥品至上寅日乃甲寅戊寅庚寅壬寅日是也製造亦可 白虎 即白麪一百斤 勾陳 即蒼耳取自然汁三斤 藤蛇 即野蓼取自然汁四斤 青龍 即青蒿取自然汁三斤 玄武 即杏仁去皮擣爛四斤 朱雀 即赤豆煮軟爛三斤 右共修合三伏內用上寅日踏極實為度一方加稀薟草自然汁尤妙

一造輕粉法 柴才同淋傳 龍腦水銀各一兩 花盌二兩 黑礬二兩

右以南鉢二口貯八盞定以野芋葉擣調石灰封固置

入新砯堝封固隔火燒以香二十四株燒盡爲度取出刮出盖上粉

一製乾姜法　先用長流水製白礬浸三日次又取長流水𢶜糯米浸三日一日一換水又次取長流水浸三日一日一換前後共九日入畚蒸熏取出再以酒藥丸餅綿乡釄研細篩入翁之一夜晒乾倘遇雨湿以炭火烘之

一神仙太乙紫金丹一名金錠一名萬病回春丹　觧諸毒藥諸瘡毒和開通竅治百病能起死回生其效不可盡述居家出入不可無也此古方也然方書所載增減不一此方得於名医柴德潤傳依法製造試驗無差可爲家傳

山茨菰（去皮洗焙二両）文蛤（一名五倍子破洗焙二両）千金子（一名續隨子去殼棘）

色白者紙包研去油成霜一両）紅芽大戟（一名紫大戟洗焙用白戟峻利傷人一両半切不可）射

香（ク三）　右製法宜端午七夕重陽等日或天德月德黃

道上吉日修合量藥多少預期数日主人及医生俱齋

戒沐浴易澣濯及新潔衣服於靖寂室燒香將前五藥

味各為極細末設盥洗盆出淨手薰各用新潔器抵盖

至期凤與主人同医生燒香陳設藥品拜請祝曰

天地鬼神鑒護祝畢用数盆各逐盌配合再搗和数百

次極匀仍重羅兩遍依方糯米濃汁調和於木臼內杵数千下光潤爲度每錠一錢每服一錠病勢重者連服通利一兩行無妨用温粥補住要在齋心至誠極其潔淨如法修製無令喪服禮器不具人體及婦人雞犬見之

治症隨湯引用于後

一治一切飲食藥毒蠱毒瘴氣惡菌汳豚死牛馬諸毒並用凉水磨服

一治南方蠱毒瘴癘傷人纔覺意思不快即磨服一錠或吐或利隨手便愈

一治癰疽發背對口天蛇頭無名疔腫楊枚及一切惡

瘡諸風癮疹赤腫未破頭及痔瘡並用無灰酒磨服及用涼水磨塗瘡上日夜各数次覺瘡立消已潰出膿者亦減

一治傷寒陰陽二毒心悶狂言亂語胸膈壅滯群毒未發及瘟疫喉閉纏喉風以冷水摻薄荷一小盞研下

一治心氣痛並諸氣用淡水或酒或淡姜磨服

一治赤白痢疾及泄瀉腹痛急痛霍亂攪腸沙及諸痧症並用薄荷湯磨服

一治男婦急中顛邪喝叫亂走鬼交鬼胎鬼氣狂亂失心小兒中風中氣口眼歪斜牙

關緊急言語蹇澁筋脉攣搐骨節風腫手脚腰腿周身
寒痛行步艱辛諸風諸癇並用煖酒下 一治自縊及
溺水死心猶煖者及驚死鬼迷未隔宿者冷水磨灌下
一治毒蛇風犬一切惡蟲傷人冷水磨塗患處別用酒淡磨服
一治久近瘧疾臨發朝東流水桃柳枝煎湯磨服
一治小兒急慢驚風五疳五痢脾病黄腫瘾疹瘡瘤牙
關緊急並用薄荷水磨荷小葉同磨下量兒大小一錠分二三服
一治牙痛酒磨塗及含藥少許良久吞下

一治湯火傷東流水磨塗傷處　一治打撲傷損炒松節無灰酒下

一治年深日近頭痛太陽穴疼用酒入薄荷研爛磨紙花貼太陽穴上

一治諸蠱腫脹大麥芽煎湯下　一治婦人經水不通紅花煎湯有孕忌之

一治傳尸癆瘵兄弟五人已死者三存二人各進一錠

一下惡物如膿狀一下死蠱形俱獲生遂以此藥廣濟癆症皆験

一治婦人久患癆瘵爲尸蟲所噬磨一錠服之一飹吐

下諸蟲十數條後服蘇合香凡半月遂如常藥品雖不

言補羸瘦服之並效誠濟世衛身之術也每料費不過

数錢可救数十人内有山茨菰千金子皆有子可匣仁人君子各以清人陰功不少。一治牛馬六畜亦敷之又一方加雄黄明透如石榴子者三錢療諸毒大奇效

一三黄百病凡花即道人傳黄柭三月米泔浸三日炒黄力三月炒雄黄五刀共爲末飯凡如青豆大臨症每服七八凡一食積姜湯下

一腹痛姜湯下　一瘀症大腹皮霍香陳皮湯下

一腦朧病米泔湯下　一瘀刺腸痛姜湯調下

宮剎附剎馬　一剎人翁晉傳　槟樸樸細末塗此處三七

一剃馬千金穴提督禎海侯傳其礼物花布一

日即愈其洗水亦用此棄猪洗之

足銀一笏猪一口㪅一盎酒一坩娘娘取棄晒乾研極細入罐貯用外

以黃蠟封固如剃馬𩓐取一料做四五錢塗入千金穴

乃是剃處切忌行踏及雨水足三日再換一料如前

如遇四五六七等月熱盛三月愈如諸月二十日愈

如剃𩓐出血過多馬噤口者取糊烏龍尾入水童便各

半灌飲即甦。如生虫以茴香細末龍腦少調塗在患

處外以龍腦調水油以鵞翎擦之使蠅不敢近防再生

蚛每日一換人蚛用之亦極效

一辟蚛符　其法或人或馬或六畜有蚛仍以名作符如人則寫人字如牛馬則寫牛馬字如馬有蚛則寫馬蚛字寫在家柱其兩字寫要相連盡三重圈圍守兩字再以鉄釘釘末馬字頭蚛字即見神奇功效

一符式

馬蚛

牛蚛

百家珍藏季卷終

R.1164

新鐫海上醫宗心領全帙卷之五十

○小引

目軒岐問答之篇而知言醫之爲難味醫書者儆之說而知用方之尤難故古人有奇偶之制合復之用君臣佐使衆力透會方能奏功至朱丹溪之用多李東垣之用寡雖是高贒手段用之各當而膠柱不能無疑自非二賢相將而欲沽高求簡謂一二味可以療疾未知其可也或曰大虛之症冗起叢生雖求本之餘又有兼用之巧豈一二品物之所能裁若一症一治之

[illegible]簡余需乾卷　小引　一

品則氣全力純猶一路勁兵殺賊拎生易如拾芥則单品有何不宜余聞之未喻其真旨也但忖夫醫家以濟人利物爲務倘遇窮僻緩急不備窮門寡户無力服藥當何以應酬耶乃纂集本草諸方及諸家单方凡藥品於我嶺南所常有者彙成一集顔之曰行簡珍需以八卦分各目營得目前萬物生意森然行遠居家袖中良玉豈小補乎哉

黎氏别號海上懶翁引

目次

目次終

行簡珍需乾卷

海上懶翁黎氏纂輯
後學唐鄙武春軒奉較

中風

一治中風牙關緊急不開　白礬、花鹽等分，搽之，其涎出自開。

一治中風痰厥四肢不收氣閉膈塞
白礬一兩　牙皂五錢
為末，每服一錢，溫水下，以吐痰為度。

一治中風不語兼身冷不省　独活一兩，酒二升，煮一升

大豆五合炒黄投于酒盞之良久温服三合未瘥再服

一治暗風卒倒不省人事　細辛為末吹鼻中

一中風氣厥痰壅昏不知人六脉沉伏

附子南星木香各生用半刃姜九片煎服

一中風不省人事涎潮口禁手足彈曳　側栢葉葱白

各一把研泥無灰酒一斤煯沸温服分作五服方進藥

一中風身重不得伸屈反覆　槐樹皮黄白者切片以酒或以水煎温服

一老人中風煩熱語澁　烏雄鷄一隻治淨葱白一把

麻汁煮空心服食之

一三年中風　松葉一斤切細以酒一斗煮服汗出立瘥

一中風逆冷吐清水宛轉啼呼　桂一两水煎冷服

一中風口禁痰厥不省人事　胆礬一分爲末溫酒調下以吐痰爲度

一中風口禁心煩恍惚痛滿　伏龍肝末五斤水八斤攪澄清濯之

一中風舌強　雄黄白芷等分爲末酒煎灌之

又傳方雄黄荊芥等分爲末用黒豆炒浸酒每二ㇷ調服

一中風口禁不知人事　白朮四兩酒三斤煮服

一中風口禁　爇艾灸承漿一穴頰車一穴各五壯內服芥

穗竹瀝姜汁等分酒水煎服　一方以芙蓉葉取

水及清油火許調湯送下

一中風口禁涎潮壅上　皂角去皮豬脂塗灸黃為

末溫酒下每一匁

一中風口喎　新石灰醋炒調如泥左喎塗右右

喎塗左郎牽正內松子汁酒煮服

一方巴豆七枚研泥左喎塗右手心右亦然以熱水一盞安藥上即止　一方口斜以蓖麻子一味加石灰少許研末如斜左邊塗右手心止速洗

一方用毛椶精黄蟮血和匀右喎貼左左亦然

一中風口喎面目相引僻偏頰急舌不能轉

桂心酒煮故布蘸搨病上左喎搨右右亦然常用大效也

一中風冷痺拘急偏枯　鼠壤土郎坦狀也炒熱袋盛更互熨之

一中毛癱瘓　熬牛骨內髓一碗煉蜜一斤

共瀘過入炒麵一斤乾末三刄攪勻和丸如彈子一日服三四丸酒下　一方五靈脂研水飛去上水酒化後服續命湯

一中風癱瘓手足不舉　穿山甲左瘓用右甲炮過大川烏頭炮熟紅海蛤如棊子大者各二刄爲末每用半刄攪葱白汁和成餅隨左右貼脚心密室安坐以脚浸熱湯盆中身麻汗出去之謹避風手足可舉半月再行

一中風偏癈　生附一斤姜活烏藥各一刄爲末生姜三片
水煎服　一方用地楊根葉入土堝煯冲之左偏
冲右右偏冲左水代茶服
一中風口眼喎斜　蒼朮防風川芎細辛乳香各一刄
苦練子五六个菖蒲二刄大蒜一刄荊芥穗姜活獨活皂角
各五刄得楬遙一子更妙糊丸雄黃爲衣磨油服飲
一喑風半身不遂口眼喎斜　一方白附姜蚕全蝎
平分研熱酒下　點方蒼朮一刄川椒四刄好酒煎熏服

飮輕健若口眼用養藥
一中風半身不遂致令癖痙　附子一丑以無灰酒浸
七日隔日飮一合　一諸風不遂　生草烏頭
蜣蠶炒等分爲末生地龍搗入醋糊丸每服四五丸
白湯下　驗方棲蔞苊切片炒黄蕘寄生或別樹
亦可平分煎服
一歷節風痛　獨活姜活松節等分酒𤁉每日空
心飮一盃　一風痒如虫　雄黄松脂等分

研窮丸每飲十丸日三服百日忌酒肉

一消風順氣丹老人大腸秘結　防風枳殼麯炒各

一兩甘草半兩爲末每服一錢

一風毒骨痛在髓中　傳方虎骨一兩白芍二分絹盛酒

三斤浸五日服　一被傷風牙關緊急

一方天南星防風等分爲末小便煎每服二錢

一方竹瀝二三斤連灌之取吐忌冷飲及酒

一神應救苦丸治諸風百病　川烏草烏各炒青皮枳殼蒼

朮生地白芍白朮川芎各五錢 五靈脂二兩 為末酒糊丸

每服一丸酒磨下

一定風百鮮丹花郎道人傳 紫川芎酒洗 皂角去核 蒼朮去皮生用

姜活各一錢 神砂硃砂並水飛 雄黃金生各五分磨入水 龍腦三分

射香一分 各散末糊丸雄黃為衣每用一丸隨湯下

一如身熱醋湯下　一身寒酒湯下　一寒熱桃枝湯下

一不省人事麻油湯　一咳嗽桔梗湯

一多痰活鹿湯　一失声訶子湯

一嘔吐生姜湯　一瘟疫各症藿香湯

一頭疼葱白湯　一吐血石蓮肉湯

一牙痛酒酓湯　一腰腹痛酒湯

一脾寒滑泄湿酒湯　一瀉霍香湯

一赤痢甘草湯　一白痢乾姜湯

一痰喘生姜湯　一小便不利木通湯

一小兒急驚泊荷湯

一定風活命丹治諸風痲風毒秘傳神效　虎頭骨二月醋炙九次防風

川芎　蒼术各二 　金生　白土各二

天灵蓋　椰葉灰燒　神砂　硃砂各一

氧香　没藥　皂角　石菖蒲各七

芥子　蘇子並炒　微大蒜　三奈各五　阿魏三

大桃子仁三　苦豆子仁三　右各味研末糊凡雄黄半一為

衣酒湯每服二凡小兒一凡若痛某處用一凡醋磨

塗或香油亦可其效如神

一定風保生丹外國人傳治中風諸症　風姜高良姜醋浸一宿炒　北蔚

金醋浸一夕炒　蒼朮炒　紫三柰　硇硝　甩見愁炒去刺　圯皂角
去核炒　石菖蒲醋浸一夕炒忌鉄　相思草　姜活　独活
圯射干炒各一月　阿魏二リ　乱髪一リ燒灰　虎骨頭五リ　神砂三リ
朱砂一リ　射一分　右各味研末端午日午寺糊凡雄黄為
衣每服一凡寒酒熱醋湯下
主治小兒各病驚癇或内傷或外感黜病吝𤅶脾肤
庙咽孙扱頭稇秩𠆳弓𥏋吽哭迷眛哏𧿫𠯪膝吟頭
稇茹祂覧病渚䄧乡𥗍用半凡磨水服若至難用五

廉藁男七女九共藥半丸唯朱𩫖噴飽病人若群動
寺助特若痊動寺不治
一治風病癱瘓手足彈曳口眼歪斜貴復不正服八九
丸見效如神　川烏去皮臍　五靈脂各五刃　龍腦射香各五分
右各味研末水丸如彈子先以姜汁研化酒調
服每一丸日二次
一治麻木不仁手足癱瘓祛風去湿通經絡健脾胃壯
筋骨如神豨薟草紅梗者佳用酒共白蜜調勻入釜蒸熹

九次晒乾爲末蜜丸如梧子每服三ゥ白术湯下日

二服至二十丸覺異常乃藥力行也

一治風寒冷湿搏于筋骨摩縮疼痛行步艱難

神朮一ゥ乳香一ゥ爲末每服二ゥ木瓜酒送下

一治氣血俱虚左右皆不遂　用八珍加勾藤竹瀝

姜汁服或用上池飲此眞神方也

一治左半身不遂以補血爲主　芎歸熟一ゥ半芍加藤一ゥ白

瀝三ゥ姜汁焙入竹服　一方加秦艽香附參苓桂枝南星肢

苓加多附子

一治右半身不遂以補氣爲主　㳄參白朮各一ㇼ半茯苓一ㇼ半夏半分炙草四分加葯藤三ㇼ煎服入竹瀝姜汁調服

一治中風口眼歪斜牙閞緊急痰涎流注及時氣悪疰并小兒驚急一皆治效如神眞天下第一奇方也

琦南沉香白檀神砂朱砂乳香艾藥雄黄阿魏安息蒼朮各五ㇼ菖蒲炙草細辛木香眞降香霍香南星白附皂角烏藥各三ㇼ爲末糊丸如菉豆大朱砂爲衣大

人每服二丸小兒一丸姜湯送下孕婦忌之

一治男人目忽見形如燈火照得二目望見十人恍惚好凌罵好打人忽变半身不遂口目歪斜

芎歸熏芎加菖蒲防風姜活黃連秦艽枳壳荊芥姜三片煎服

一治水火不交身左常有驚風

熏四兩 續斷 蓮肉各二兩 山藥 茯苓 澤左 丹皮各一兩半 巴戟 牛必 麥門各一兩 杜仲一兩 故紙七分 五味 遠志 附子各五分

一治風湿脚氣骨節頭疼

土茯苓一斤 烏藥 熏地 牛

必各一刄當歸刄五赤花蛇一刄浸一夜米水右以各味煎加好酒平分煎隔水做二三香下土心服

一治痺湿症　内服椶木一刄好酒一碗浸三蔭服之見效

外塗用黄土一塊火爐煅之散末生姜一根大搗細

一治半身不遂神方　馬莧草黒牵巢核蘖金神凡巢核昌蒲血角各刄三桂枝刄五茴香丁香各刄三各味散末以酒一鉢童便一盞湊之

中氣

一治中氣不省人事目閉不語如中風

木香為末冬瓜煎湯灌下三錢痰盛者加竹瀝姜汁

一救急方治中氣風暑惡霍乱一切卒暴之症

用姜汁與童便服立解

一治中血脉外無六經形症內無便溺隔阻肢不能舉

口不能言是也　芎歸熟芍加麥門遠志石菖蒲南

星半夏陳皮茯苓羌活烏藥黄連防風秦艽甘草竹

茹姜三片煎服

一治中經絡口眼歪邪是也用復正湯

芎歸芍防風荊芥細辛黄芩烏藥天麻白朮茯苓陳
皮半夏枳殼白枳桔梗姜蚕甘草生姜三片煎服

中寒

一治體虚中寒昏困及臍腹冷痛霍乱轉筋一切虚寒
之症　生附去皮臍炮姜各一两散末温水服每二錢

傷寒

一治一切傷寒不問陰陽輕重老少男女孕婦
白芷一两甘草胖姜三片葱白三寸枣一枚豉豆十粒

水煎服取汗不汗再服病至十餘日未得汗者皆可
服此藥可卜人之好惡如煎黑色或誤打翻卽難愈
如煎得黃色卽愈煎辰要至誠忌婦人鷄犬
一方香白芷一两荆芥穗一刄膽茶點服每二錢微汗之
此方兼治風寒流涕
一治傷寒四辰不正之氣　香薷末熱酒調服一二刄取汗
一治傷寒辰氣瘟疫頭痛壯熱脉盛
乾艾葉三斤水一斗煮服取汗

一傷寒譫語實熱宜之　蚯蚓糞涼水調服

一傷寒頭痛如破者　葱白連鬚半斤生姜一两水煮温服實者效騐

一傷寒腹痛逆厥　芥子研末水調粘臍上

一傷寒衂血　活石末飯丸新汲水調下每十丸立止

此乃當汗而不汗所致其血紫黑衂不可止之宜服

温和藥待血鮮衂服此止之

一傷寒心悸脉代結者　甘草二两水煮服日一服

一傷寒衂疫不問陰陽老少姙婦誤服藥餌困重垂死脉

沉伏不省人事七日以後皆可服百不失一

人參一兩水煎以井水浸冷服之火頃於鼻梁有汗出脉復立瘥

一感寒上氣　紫蘇三兩橘皮四兩酒水平分煎分二服

一傷寒喘急　防已人參平分爲末桑白皮湯服二錢

一傷寒脱陽小便不通　蘹香子爲末生姜汁調敷腹上內用蘹香子末入益元散服之

一熱病後口乾咽痛喜睡　大棗二十枚烏梅十枚擣密丸含一杏仁噙汁甚效

一陽明病自汗小便反利大便硬者

蘸皂角細辛末用導法甚速

一傷寒咳逆服藥不效　雄黄ク三酒一盏煎乘熱嗅其氣自止

一傷寒呃逆及噦逆不定　丁香一刄乾柿蒂一刄焙為末

煎人参湯下每服一錢

一傷寒呃逆聲聞四鄰　四花青皮全者研末每二ク白湯下

一傷寒熱結六七日狂乱見鬼欲走

大蚯蚓半斤去泥用小便煮汁飲或生絞汁亦可

一傷寒極熱發狂煩燥　生鷄卵一枚吞之

一傷寒發狂　龍胆草爲末入鷄子青白䓁凡二ㄌ凉水下

一傷寒腹脹陰陽不和　陳皮半夏桔梗各三ㄌ生姜五片煎服

一傷寒百合腸滿腹痛　百合炒爲末每服寸匕日二服

一傷寒陰症下早成否心下滿而不痛按之虚軟

枳壳梹榔等分爲末黄連湯下每三錢

一傷寒煩渇心神燥熱　秦芃一ㄌ牛乳一大盞煎作二服

一傷寒發燥下後又發汗日不眠夜而安静身無大熱

乾姜一㒳生附一枚作八片水三斤煎服

一傷寒煩渴思飲　淡竹瀝一斗水二斤煮取二㒳冷飲汁後服括蔞根三㒳水煎分二服

一陽毒結胸按之極痛或通而復結喘促大燥煩乱生蚓四个研如泥入生姜汁少許蜜一匕薄荷汁少許新汲水調服若熱盛加片腦少許自然汗出一服只一次

一傷寒結胸已經汗下後　檳榔二㒳酒二盞煎分二服

一傷寒結胸天行病四五日滿痛壯熱　苦參一㒳醋一三斤

煮取一斤飲取吐即已天行毒病非參醋不解又温覆取汗良

一傷寒下痢不能食者　黄連一斤烏梅二十枚去核炙燥爲末蠟如碁子大密一斤煎和凡十丸生姜湯下每服二十丸一日三服之

一傷寒狐蟚食于下部痛癢不止　雄黄半兩入瓶中熏其下部

一狐虫蟨病人齒無色舌上白或喜睡不知痒處或下痢宜急治下部未曉此者但攻其上而下部生虫食其肛爍入五臟必死　燒艾於竹筒中加雄黄熏下部令其煙入

一傷寒狐蟚脉數多熱微煩默又但欲臥汗凝初得三

四日目赤如鳩七八日目四角黄黒若能食者膿已成也

赤小豆三斤水浸令芽出當歸三刄爲末漿水服一匕日三服

一傷寒陰症極冷厥逆煩燥腹痛無脉危甚者

硫黄爲末艾湯服就睡汗出而愈

一傷寒陰症厥逆身微熱煩燥六脉沉弱乃陰極發燥

人參半刄水煎調胆末二匁熱服精

一夾陰傷寒先因欲事後感寒邪陽衰陰盛六脉沉伏

小腹絞痛四肢逆冷嘔吐清水不假此藥無以回陽

人参炮姜各用一生附一枚剖作八片水四斤煎至一斤服脉出身温即愈也

一陰盛隔陽其人必燥熱而不飲脉沉手足厥逆

大附一枚燒存性為末蜜水調服汗出乃愈

一陰毒傷寒因房後受寒小腹疼痛頭痛腰重手足厥逆脉息沉細或作呃逆大附乾姜等分切炒為末水酒煎温服每一刀方得汗解

一陰毒傷寒面青四肢厥逆腹痛身冷　附子製二枚為末姜汁冷酒調服三刀臍下如火煖為度

一陰毒傷寒危篤黑豆炒乾投酒熱飲甚者灌之吐則復飲汗出為度

一陰毒傷寒　百合煮濃汁服一斤

一陰毒傷寒四肢逆冷　吳茱一斤酒湿絹盛二包蒸熱更熨足心候氣透痛止

一傷寒陰毒舌出過寸　梅花龍腦平分為末摻之隨手即愈

一陰易陽此傷寒初愈交合陰陽俱病手足拘急小腹急熱頭不能舉名陰陽易當汗之隔四日難治

薑一把雄鼠糞三七枚煎服取汗

宜下乾姜四兩為末每用半月白湯調服覆衣出汗手足伸愈

宜上一陰陽易病傷寒後婦人得病難瘥未滿百日不可與

男合為病拘縮腹痛欲死女名陰易男名陽易速宜
汗之隔四日不治

一陰陽易病男子陰腫絞痛頭重眼花
鼠糞二頭尖十四枚韮根一把煎溫服得汗愈未汗再服

一傷寒易病後因交接者腹痛卵腫葱白搗爛苦酒一盞和服加竹皮

一易病發熱　雄鼠糞二十枚梔子十四枚只殼三枚葱白二寸豆豉三十粒煎服

一傷寒傳成百合病變渴如寒無寒如熱無熱欲臥不
臥欲行不行欲食不食口苦小便赤得藥則吐利變

成渴病久不瘥　牡礪熬二兩括蔞根三兩為末末汁調下每寸匕日服三次

一百合變症煩熱　百合一兩滑石三兩為末服微利乃愈

一百合病已汗下復發　百合七个水浸一夕入土碟一兩滑石三兩水煎溫服

一勞食復乃篤病初起受勞傷食致復欲絕　一方鱉甲燒研蘆根絞汁調飲之　一方蘇葉生姜豆豉煮服

一傷寒勞復身熱大小便赤如血色　胡黃連一兩梔子一兩寒半兩和炒微焦為末用猪胆汁和凡生姜一片烏

梅一个小便三合浸半日去姜梅食後小便吞十凡

一劳復食復欲困者　粉錫水調服少許

一傷寒後邪入經絡體瘦肌熱推陳致新或抽氣伏暑長幼並治　柴胡四兩甘草一兩細剉每二錢水一盞煎服

中暑

一治暑暍死　熱湯徐徐灌之少擧其頭令入腹

一熱渴昏痝　熟地汁一盞服之切忌凉處及凉藥

一中着不省　一方蒲荷生葉絞汁歆立效一方硃砂五分水調下立安

一中暍不省　夏月在途中熱死急移陰處就掬道上熱土擁臍作窩令人溺滿煖氣透滿則生　接服蒜湯送下

一中暑汗出不止　當歸月一黃芪月二棗片三十水煎服

一中暑狂喘汗出如雨　傳方以下石羔人參各四月黃連三フ服一劑而自安

一中暑循衣摸床　人參月三黃連フ三服之火散氣回而定

一中暑心痛欲死難治之症　青蒿月一黃連フ三茯苓フ五白朮フ三香薷フ一藿香フ五半夏フ一服一劑而痛自止

傷暑

一傷暑吐瀉　硫黃活石等分為末米汁服一錢

一暑毒泄痢或瘧　雄黃水飛九度竹筒盛蒸七次研末凡甘草湯下每七凡日三服自愈

一伏暑傷冷二氣交錯中脘否結或泄或嘔或霍乱厥逆

礦黃活石等分研末炒成砂糊凡羔水下每五十凡

一切傷暑夏月卧湿當風或生冷不節正邪相干便泄吐痢或發熱頭疼身痛或轉筋或乾嘔或四肢厥冷或煩悶欲死　香薷一斤　厚朴姜炒　白扁豆微炒各半斤　為末

水二盞酒半盞煎服每五ㄅ二服立效

熱病

一骨蒸發熱　芒硝爲末水調服每一匕日二呷良

一熱盛而咳　石羔一兩炙草半兩爲末生姜客調下每服三ㄅ

一老人風熱內熱目赤頭痛視不見物　石羔三兩竹葉五十片水煎去滓八砂糖一月粳米三合同煮食

一膈上煩熱多渴利九竅　石羔二兩研末水煎去滓八米煮粥食之

一婦人肌热血虚　白朮茯苓白芍各一兩甘草半兩爲末姜棗煎服

一三焦積熱　玄參黃連大黄各一兩蜜丸白湯下每服三四十丸

一三焦骨蒸　黃連末以冬瓜汁浸晒七次又以瓜汁和丸大麥湯下每服三四十丸立見功效

一五心煩熱　胡黃連末米飲服一ㄱ立愈

一肺中有火　黃芩炒爲末糊丸白湯下每服二三十丸

一婦人發熱欲成勞病肌瘦食减經候不調

乾地黄一斤蜜丸酒服每五十丸

一骨蒸鬼氣　童便五斗青蒿五斗剉細入大釜中煎取三

斗去滓再煎八猪胆汁一枚又煎取一斗待冷和炙
草末二三月和凡米汁下每服二十凡
一婦人劳熱心煩　乾生地乾熹地等分為末生姜八
水打糊凡茶湯下每服五十凡日二服覺中冷間服
八味凡盖地黄性冷壞脾而非用此不能補陰
一熱病狂譫大黄五兩研炒赤用蝋水五斤煎膏每服半匕
一虚火上行背熱如火烙　附子末津調塗湧泉穴
一膚熱如燒或感冒咳嗽既久且犯戒致病骨蒸每日

吐痰煩渴能飲食六脉浮洪宜用黄芩一两煎服則身熱痰咳皆止

一血虚發熱燥渴引飲目赤面紅晝夜不息脉洪大而虚重按無力此血虚候也得於飢困劳役象白虎症係脉不長實為異耳若誤服白虎湯即死宜此主之當歸二钱炙黄芪一两水煎空心温服

一婦人發熱煩渴　葛根四两粟米半升水浸一夜濾出拌匀煮熟飲食

一嘔血熱極　黄栢蜜塗炙乾為末麥冬湯下

一發熱口乾小便赤澁　井榛去皮取汁嚥之

一暴熱下血　生猪臟一條洗淨控乾以炒槐花填滿米醋煮爛几歸酒煮湯化下每服一凡

一熱病食後及交接後發病欲死不能語

梔子三十枚水煎一服令微汗即解

一身體發熱不拘大小人　鷄卵三枚白蜜一合和服

一熱病瘥後食五辛致目暗　鯽魚作臛食之

一單熱譫語咳嗽痰涎壅盛兼白舌黑舌　驗方連翹梔子大黄甘草朴硝黄芩竹葉薄荷加蜜煎服神效無比

一治寒熱方　常山南参草果甘草乾柳酒湯服

温病

一温病熱噦乃伏熱在胃令人胸滿氣逆則噦或大下胃中虛冷亦致噦　茅根葛根各半斤水煎温服每一刀噦止即止

一𪊍氣温病初感頭疼壯熱脉大　小蒜一斤擣汁三合頓服

疫病

一治𪊍行腮腫　蚯蚓糞水調塗之

一𪊍氣頭疼壯熱　葱白仁二十八米煮粥加薑火許熱食取汗出即解也

一𪊍氣煩渴　生蓮藕汁一盞生蜜一合和服即效

一䘏行發黃　竹葉伍斤　小麥仕斤　石羔叁兩　水煎服

一䘏氣煩燥五六日不解　青竹瀝半盞　煎熱數飲厚覆取汗即解

一䘏氣毒攻手足腫痛欲斷　牛肉裹之

一辟穰瘟疫　一方松葉研末調半天水　渃頭櫰棹　飲之

一方塚上土五月一日取八尾器中　埋門外階下全家不患

一方以絳囊盛馬蹄屑佩男左女右

一治瘟病　硃砂一兩研密凡太歲日平旦大小勿食諸物東向各呑七凡勿令近齒

一天行疫病　東行桃枝煎湯浴之仍以雄黃少許綿包塞鼻中男左女右能除惡氣不能染之

瘴氣

一辟瘴正陽　硃砂三刄水彩温寄湯下每次半錢

一瘴氣成塊在腹不散　華蔢大黃各一刄爲末入射香少許寄凡冷酒下每次三十凡

一熱瘴昏迷煩悶飲水不止至危者　生地黄根生涵荷等分擣取汁入射少許井水調下見冷勿服

一瘂瘴一二日即死極熱感寒　生附子一枚四破每

一片水一盞生姜十片煎温服以熱攻熱之義

一辟瘴不染　生葛根搗汁一小杯服之去熱毒氣

一寺氣瘴疫　側栢葉西南枝曝乾研末新汲水調下每一ク日三服

一山嵐瘴氣　犀角羚羊角末水調服一錢

一遠行不服水土并酖毒死人　白礬生用一兩甘草

一生用一兩右二味散末每早寺服一錢不畏諸毒

一治百解毒　傳方木香一兩大黃一兩半生用年酒炙

以血核昌猗為丸如青豆大每服一丸

瘧疾

一治瘧疾 活石燒四 藿香ク一 丁香ク一 青蒿一把 為末叅

汁服取絲瓜葉搗爛入鹽少許 以前布縛男左女右 手氣口處此方神效

一少陰瘧疾嘔吐 綠礬一刄 乾姜 半夏姜製 各半刄

為末發日早醋湯下半錢

一諸瘧寒熱 赤脚馬蘭蔓曲頭 搗爛取汁 入沙糖少許 發日早服

一方 附子ク五 人參 丹參 參ク各一 蜜丸 未發前連服十六丸 中則吐未吐再服

一脾胃聚痰發爲寒熱生姜四刃搗取汁酒一盞露一夕于發日五更北面立飲即止未止再服

一瘧疾渴甚　童便和蜜煎沸頓服

一脾寒五臟氣虛陰陽相勝發爲瘧疾寒多熱少草菓附子各一枚鹽湯浸七次分二服水一盞棗七枚姜七片露一夕發日温服未止再服

一諸瘧煩熱大燥與瘴瘧疾生蚓四條研如泥入姜汁蒲荷汁少許蜜一匕新汲水調服如熱盛加片腦少許又搽心下[illegible]片寺汗出而解一次神效不可二服

一熱瘧不寒并久瘧不止穿山甲一兩棗十枚共燒存性爲末發日五更井花水調服每二ㄅ

一瘴瘧發熱連背項　藿香子搗汁服

一温瘧不止 當歸一刄水煎日二服

一温瘧熱多 常山一ㄅ小麥二ㄅ淡竹葉二ㄅ水煎五更服

一温瘧痰甚但熱不寒 青蒿一刄童便浸黄丹半刄爲末白湯下每二刄

一瘴厲諸瘧不問新久 童便一升入白蜜二匕攪去白沫服吐痰出爲好若不然終不除

一寒熱瘧疾體虚汗多 黄丹水飛百草霜常山末等分糊凡發日空心服二不過二服愈

一脾虚瘧症寒多熱少不思飲食 高良姜麻油炒乾姜各一刄爲末猪胆汁凡臨發寺熱酒化下每十四凡蓋寒發於胆故用胆引二姜入胆去寒而燥胃甚效

一方　亦二姜生熟各半　ㄢ穿山甲炮三钱

一氣虛瘴瘧熱少寒多或单寒或虛熱不寒
草叡仁製附平分姜七片枣一枚煎服

一老瘧劳瘧　鱉甲醋灸研末雄黄少許酒服一匕隔
夜一服清早一服臨寺一服即止

一虛寒瘧疾　黄犬肉煮臛入五味食之

一久瘧不止　硫黄神砂等分為末發日五更臘茶湯
下二钱即效寒多倍硫黄熱多倍神砂

一久瘧不止　蒼耳子白姜蚕（直者一个）切作七段綿包為

凡硃砂為衣作一服日未出寺面東向（用桃枝七寸煎湯呑下）

一劳瘧積久不止　長牛必一把生切水煎分三先服

一積年久瘧（壮寔者宜）　常山黄連（各一兩）酒浸一夕發日早

服五合發日再服熱當吐冷當利無不瘥也

一五瘧不止　夜明砂末冷茶服一錢

一久瘧不止或一日二發或一日二三發或二三日一

發　五靈脂頭垢（各一ク）古城石灰（二ク）研末飯丸五更

無根水送下每服一凡

一邪氣瘧疾　黑牛尾燒灰酒服一匕日三服一方隔年曆全本端午日午辰燒灰糊凡發日早無根水下每服三十凡

一恠瘧後口鼻中氣出盤旋不散過十日至肩凝如黑色與肉相連堅如金石澤左煎湯日服三盃連服五日而愈

一久瘧有母　木鱉子穿山甲炮等分為末空心酒下每服三ソ

一斷截熱瘧　蚯蚓泥菖蒲末蒜頭端午日午辰為丸硃砂為衣無根水下每服三凡

一止截瘧疾　蜘蛛一个同飯擣凡吞之

一祝枣治瘧　執枣一枚祝曰吾有枣一枚一心歸大道優他或優降熨火燒之念七遍吹枣上與病人食之

一佩穰瘧疾　五月五日取大蝦蟇晒乾絳囊貯之男左女右繫于臂上勿令病人知之

一劳瘧瘴瘧久不愈　白狗糞燒灰發前冷水服二錢亦可貼大母指男左女右

一治瘧疾累驗　傳方常山君南參臣檳榔草菓佐甘草

使酒一盃水煎迎服

一治寒熱隔日及山嵐瘴氣　常山酒浸澤蘭炒指天陳皮蛛白飯丸如梧子大每服十丸酒下加霍香炒或煎亦可忌醋一如久不愈以藥放霜十夜服神效

一治水土不服變成瘧症　茯苓一錢秘刀刮去心以土龍五十件盐洗三四番胡黄連一兩青豆一斗共入在秘刀内蒸熟取出晒乾為末白審丸

一治大人小兒瘧母　黑礬一兩盐三兩以新土堝置盐在

下礬居中又數盏在上泥土封固煮半日取出去藥取礬以紙為丸服

傷濕

一交加丸升水降火除百病

蒼朮一斤分作四分一分米汁浸炒一分同川椒炒一分鹽水浸炒一分同故帋炒

黃栢一斤分作四分一分酒炒一分童便浸炒一分生用一分同小茴炒

去藥只取朮栢為末寂丸空心鹽湯下每服六十丸

一坎離丸滋陰降火開胃進食堅強筋骨去濕熱

蒼朮一斤米泔浸透晒乾分作四分一分同川椒炒一分同五味炒

一分同破固炒 一分川芎一兩炒 川蘗皮四斤分作四分 一分乳汁灸 一分米泔灸

一分酒灸 一分尿灸 共各十二次取术栢研末密丸早用酒午

用茶晚用白湯日三服每服三十丸

一傷湿多汗妄言煩渴　百合灸草等分為末木漿調

下每服二錢 一湿氣作痛兼脚氣痛虛汗少力及陰汗等症

白术一斤煎汁熬膏白湯點服外以枯礬末泡湯洗痛處

一中湿骨痛　白术一兩酒三盞煎服不飲酒水煎亦可

一風湿攣痺　蒼耳子三兩炒末水煎去滓呷之

一風寒湿痺四肢攣急脚腫不能践地

紫蘇子二刄杵碎八水取汁煮粥和葱椒姜豉食之

一風湿走痛　牛皮膠一刄姜汁半盞同化成膏及乳香

没藥末各一錢排紙上熱貼之冷即易

一腰脚冷痛　草烏頭三个去皮臍研末醋調貼

一湿滞足腫早輕晚重　草烏頭一刄以生姜一刄蒼朮一刄

同葱一刄浸一夕又同研交感一夕各焙乾爲末酒糊丸每五十丸酒下

一湿氣中滿足脛微腫小便不利氣急喘咳

黒丑末一兩厚朴製半兩爲末姜湯下毎二錢或水凡棗湯下

一火龍膏治風湿痺痛

臥方乳香没藥各五分生姜半鍾射香一分廣牛必二兩

一風湿歷節筋骨痛或周身盡痛或晝輕夜重宜服此方血宗則痛止矣

臥方生地酒炒當歸白芍川芎各三分牡丹二分姜活秦芁黄芩各一分半紅花一分一如下體痛甚加蒼朮黄栢廣牛必各一分乳香没藥虎脛骨酒炙各五分一如舌燥口乾不眠

便燥者由血熱也宜六味凡間服

一治渾身骨節疼痛如椎所拿
虎頭骨二两 牛膝四两 當歸一两 大附子七 乳香半两 為末
酒下每二錢外用生姜煖葱虎骨蒸熱揉痛處
一治風湿 傳方 熟地一两半 當歸半兩 姜活独活薏苡白
茯苓秦艽續斷桑寄生松節蒼朮防風天麻乳香没
藥杜仲木瓜陳皮半夏白芍五加皮川芎甘草草烏
川烏虎脛赤白花蛇丹參白朮萆薢黄栢龜板黄芪
或為湯凡酒下或酒煮飲亦可

一活絡全真方　主治氣血虛弱不思飲食陽事不起遺精白濁腰脚軟弱行步無力牙齒浮緊等症

熟地枸杞山藥黄栢免絲各二伏苓山茱巴戟杜寔小茴菖蒲遠志續斷牛夕木瓜麥冬當歸桑寄生杜仲各一秦芃半七人參五爲末密丸如黒豆大每服七十丸空心塩湯下或酒下

一活絡寄生方　主治腎臟虛寒兩足痺麻行步無力膝脛軟弱乖戾等症

當歸防風各二石斛秦芃牛夕木瓜杜仲黄芪各三

桑寄生半一ㄗ兔絲桂枝黄栢五分酒炒加姜枣煎服如有

汗加人参五錢

一治濕痺兩足拘攣脚軟無力及鶴膝風寔症並治

升麻柴胡各七分人参黄芪各二ㄗ熟地續斷當歸葳靈

仙各一ㄗ半牛夕白朮杜仲黄栢金剛黄龍酒炒各一ㄗ川芎

白芍小茴独活各八分桔梗五分烏藥六分秦芃白檀黄力

各七分桑寄生一ㄗ酒煮空心服

一治脚氣發作惡寒發熱痞悶兩足腫大心煩體痛

檳榔（七分）大腹皮（二錢酒洗）青桔葉（四十九片）煎服一如在上屬風加桔梗姜活桂枝威靈一如在下屬濕加牛必防已木通黃栢一如血虛加芎歸桃紅桂朮

一治兩足濕痺或如火燎足跗熱起漸至腰胯（或麻痺痿弱）蒼朮（四錢）黃栢（二錢）牛必歸尾萆薢防已龜板（各一兩為凡姜湯下）

一治濕（熱）下流兩脚麻木如火烙之熱牛必（二錢）黃栢（四錢酒浸炒）蒼朮（二錢米汁浸炒）為丸姜鹽酒湯下

一治面上麻木并十指頭麻痺乃虛症也　用盐氣湯

加木香麥冬姜活防巳烏藥附子各五分煎服

一汀人傳治左癱右瘓效方　番木別(即馬前)用麻油煎至黃色鉄鎚打碎研末每服三分取汗為度

一風湿相搏骨節疼痛　姜活升麻各一ㄗ半夏蒼朮防巳威靈白朮川芎當歸茯苓澤左各五分水煎服

一上焦湿熱痰横行經絡手臂痛　蒼朮一ㄱ五分半夏南星(製)各酒芩白朮香附各一ㄱ陳皮茯苓各五ㄱ威靈仙甘草各三錢水煎温服

一百效酒　治湿氣半身偏枯手足拘攣疼痛不能行步諸症並有奇效

傳方　萆薢治骨痛　羌活治風湿　防風治骨節疼　川芎行血　秦艽治四肢拘急　牛膝治不仁益血氣　虎脛酥炙壯筋骨　鱉甲治骨疽　姜蠶治百節不遂　枸杞治五臟補腎血　當歸補血行血　蒼耳根去蘆　治痿松節壯筋骨各二兩　乾茄根　杜仲　桑寄生　白朮　蒼朮　黃栢盐酒炒　酒木瓜　錦紋　葛見根各一兩　烏藥　赤花蛇　耳草　陶潜　嘴菜　使君子根　桂枝　忍冬藤　劉寄奴　丹参　萆菱　龜板酒炙　酒煮內飲外塗、

一如身體刺痛腰脊強直服當歸粘痛湯
當歸防風猪苓澤瀉茯苓知母各三分 羌活茵陳黃芩各五ㄗ 升麻葛根苦參人參蒼朮各二ㄗ 白朮甘草各一ㄗ水煎服
一如骨節疼痛服秦芃湯 秦芃羌活独活石羔川芎白芷生地當皈白芍熟地黃芩茯苓防風白朮各一ㄗ 細辛二錢虎脛骨燒灰水煎服 一如皮膚瘙痒加薄荷蟬蛻
一治濕氣方 乾梓續斷牛必南黃力独力鬼射子單楝單檜鶴 又治百病乾莝戟十分使君子根乾蘗各五

分 禿梓五分 紅花 黑豆各一分 威靈五分 繖术三分

發黄　凢黄有数酥傷酒發黄誤食鼠糞亦發黄因

劳發黄多痰涕目有赤脉面紅悪心者是也

一治五酥黄疸 穀疸 酒疸 黄病 女疸 劳疸 黄汗者乃大汗出入水所致身体微腫汗出如黄栢汁 生芽根一把搗細以猪肉一斤作羮食

一五酥黄疸　秦芃一两分两帖每帖酒一斤浸絞取汁

空心服或利便止就中飲酒人易治霎用得力

一治三十六黄症　鷄卵一个連売焼灰研酒一合和

服鼻中盂出為妙極黃者不過三个止

一濕熱黃疸　柴胡一戋　茸草二戋半　白茅根一把水煎服

一方　黃牛糞研糊凡白湯服九十凡　一方　蟹燒末酒糊凡

白湯送下每服五十凡

一女勞黃疸日晡發熱惡寒小腹滿急大便溏額黑色

活石石羔等分研末大麥汁飲每一匕　小便大利即愈若滿難治

一方　一云　女疸之病非小也自太勞大熱交接後入水所

致腹滿者難治用礬石燒沃石熬黃等分為末以大

麥粥汁和服一匕日三服病從大小便去

一女勞黄疸　人髪煎服

一酒疸心下懊痛小便黄飲酒發赤黑黄癍由大醉當風入水所致也

黄芪二兩木蘭一兩爲末酒調服每一匕日三服

一黄疸内外皆黄小便赤心煩口乾

秦芃三兩牛乳一斤水煎分二温服或加芒硝六錢

一黄疸喘滿小便自利或氣結死不可除熱心存煖火

許八口活　半夏生姜各半斤水煎分二服

一穀疸（因食而得）勞疸（因勞而得）　苦参（三刄）胆草（一刄）牛胆汁和丸
麥先食以麥汁服每服五十丸
勞疸　加龍胆（一刄）梔子（三七枚）猪胆和丸

一酒疸諸疸　田螺水養數日去泥取出生搗爛入好
酒内以布濾過將汁飲之每日三服

一黄疸吐血病後身體俱黄吐血成盆　田螺十个水
養去泥搗爛露一夕取清服二三次而止

一黄疸尿赤　亂髮燒灰水調服每次一錢日三次

一脾病黄疸便溢宜之者　一方青礬四兩煆成珠當歸四兩酒浸七日百草霜三兩以浸藥酒打凡服　一方朶礬四兩百草霜五倍子各一兩　木香一兩酒煎彩麯凡空心酒下

一黄色如金好眠吐涎　茵陳白鮮皮等分术煎日二服

一寺行發黄　鷄卵酒醋浸一夜吞其白數枚

一遍身黄疸　茵陳一把研同生姜一塊搗爛日日擦之

一傷寒黄疸表熱　麻黄一把去節布包淡酒煮服取汗春夏用水煮

一傷寒裏熱發黄　大黄五兩炒用臘雪水五斤煎成膏每服半匕冷水送下

一退疸定痛丹　秘方　治大人小兒黄疸及室女黄疸經月不通或枯或閉寺常腹痛神效

黒礬十兩白礬一兩黄姜三兩鬱金茵陳各一兩為末土堝一口内用鹽寔平口盛藥入以紙包之再鹽上下外用泥土封固煆盡十二炷香為度去鹽取藥糊凡每服三十丸如男女腹痛加茴香莪朮烏藥各三兩乾卷縣

184

新鐫海上医宗心領全帙卷之五十一

行簡珍需坎卷

海上懶翁黎氏纂輯

後學唐鄠武春軒奉較

目次

脚氣

一脚氣疼痛　塩猪湯浸洗

一脚氣腫痛　白芍六刄 廿草一刄 爲末外用白芷芥子皂角赤小豆姜汁酒醋塗腫處

一脚氣欲吐　高良姜一刄 煎服若無以毋姜加酒代煎

一風湿脚氣　紫蘇子高良姜橘皮等分 爲末客氏酒下每十氏

一脚氣腿腫久不瘥　附子生一个爲末姜汁調和膏塗之以消爲度

一脚氣掣痛或胯間有核　生草烏頭大黄木鱉為末姜汁調塗之

一脚氣作痛筋骨引痛　忍冬藤為末熱酒下每二錢

一脚氣痛入腹近死　一方吴茱木瓜等分為末酒糊凡溫酒下

一方上烏藥勿犯鉄打細浸一夕空心温服溏泄即愈

一方用烏藥同鷄子堝中水煮半日取鷄子蘸食弃湯飲下

一男婦脚氣骨節皮膚腫濕疼痛

五加皮四兩酒浸遠志四兩酒浸春一日夏二秋三冬四日為末以浸酒為凡酒下五十凡

一脚氣煩滿　烏雄鷄一隻入米作羹食之

一脚氣攻注　大田螺搗爛傳兩股上便覺冷趣至足安

一脚氣腹滿尿澁　烏犢牛尿一斤飲消乃止

一脚氣壅痛　沙牛尿一盞磨檳榔一枚空心温服

一寒湿脚氣　牛皮膠一塊切細麵炒成珠研末酒下每一ク

一脚氣冲心脹滿喘急　威靈仙末酒下每二錢痛減

一分藥亦一分不可過用

一脚氣冲心煩悶不省　大豆一斤煮汁服未定再服

一脚氣冲心或心下結硬腹中虚冷

陳皮五斤杏仁五斤去皮尖熬膏丸空心服二十丸

一脚氣冲心悶亂不識人

白檳榔十二枚為末以椰殼煎汁或茶湯調服二錢

一脚氣冲心　吴茱生姜擂水飲

一方一𣁽用杉木一大把桄榔七枚大切片水便煎服以瀉下為度

一方一𣁽先用銀釧煎服以防妻後服白地楊

又安俗呼核蒲勺䔍切片炒黄入小便煎服

一脚氣浮腫心腹滿二便秘氣急喘息

郁李仁十二个擣爛水研絞汁薏苡仁三合擣煮粥食

一截脚氣法　每寅日仍割手足少侵肉即去脚氣甲

一脚氣腫痛并骨痛　牛必全取忌鉄木煮去滓入寗

做三分之一熬成膏加入丁香茴香散末少許調服

煮飡須忌婦人鷄犬方卧

一脚氣冲心心腹膨脹乾嘔及背後折痛坐卧不安

烏藥木瓜各八錢独活桑寄生各六錢梹榔白朮各

四錢爲末入童便調下每服二錢

痿病

一治五痿皮㿉毛痺血脉枯槁膸㕓薄著筋骨痿弱四肢無力爪枯髮落眼昏唇燥飲食不美

麋角屑一斤酒浸一夕　生附子一刄半去皮臍　熟地四刄　大麥米一斤以半藉底以半在上以二市中滿覆炊一日取出棄麥各焙為末取清酒和麥麵為糊和前藥杵三千下凡食前用温酒下或米汁下五十九日三服

五痺

一治大風諸痺瘀癖脹滿　大附一枚炮折酒浸春冬

五日夏秋三日每服一合即瘥

一風痺股痛營衛不行　川烏頭即大附之母初蘇象

烏頭故名附此而生為附子炮以大豆同炒汗出為

度去豆焙全蝎焙半ㄅ　醋凡溫酒下每服七凡日一服

一腰脚冷痺疼痛有風　川烏三个去皮臍為末醋調塗之

一治皮痺脉痺肌痺骨痺筋痺經云寒氣勝為痺留連入臟者死

人參白朮川芎杜仲續斷牛必秦艽桂枝煎服

一治痺麻傷筋等症　傳方烏藥地骨皮絲紅桑寄生

威靈仙黃力杜仲等分水煎空心服立效

麻木不仁　共庫參看

一手足麻痺寒痛癱瘓腰膝痺痛或打朴損傷閃肭痛

不可忍　生川烏五靈脂各四　威靈仙五兩洗焙　爲末酒

糊凡薑湯下每服七凡至十凡忌茶

一年久麻痺或歷節走氣疼痛不仁　草烏頭斤半　去皮

爲末用袋一个盛豆腐半袋入烏末在內再將豆腐

塡滿壓乾八裀中煏一夜其藥即堅如石取出晒乾

爲末每服五分冷風濕氣姜湯下麻木不仁葱白湯下

一手足麻木不知痛痒　桑葉於霜降後取煎湯洗

一身體麻木　芥子爲末醋調塗之内用烏藥木瓜牛

膝續斷杜仲芎歸茄荷荆芥桑寄生煎服冷加丁茴桂

一手足風冷麻氣血閉手足身體疼痛頑麻

五靈脂二兩沒藥一兩乳香半兩川烏一兩半炮去

皮爲末水丸姜湯磨服一丸

一脚氣木硬　牛皮膠生姜汁化開調南星末塗上烘物熨之

一風湿麻痺　草烏頭生研五靈脂等分爲末六月六日水丸如彈子四十歲以下分六服病甚一丸作二服薄荷湯下方一防己何首烏赤孔蛇牛必猪酒內飮外塗

一風寒湿麻木不仁或手足不遂

生附末薏苡末每以香白米粥一碗八末藥四錢漫熬下姜汁一匕白蜜三匕空心嚥之

一十指疼痛麻木不仁　生附木香各等分生姜五片水煎温服

一湿痺手足不遂傳方以下　蒲提上炒黄當飯中地連下炒黄

調各味八酒煯飲立效

一麻木性静而求其動者此方其第一也

參朮當歸薏苡各二ヮ黄芪乾姜遠志各一ヮ茯苓一ヮ半

陳皮七分甘草四分姜三片煎服

頭病

一頭上生虱　銅青銅苗明礬末摻之

一方用銀硃浸醋日日梳頭

一頭瘡白禿　貫衆白芷為末油調塗之

一乾洗頭屑　藁本白芷等分為末夜擦旦梳垢自去矣

一頭上軟癤　蝦蟆剝皮粘之收毒即愈

頭痛

一腎虛頭痛　硫黃一兩粉糊為末糊丸痛寺冷水服五丸即止

一頭痛欲裂　當歸二兩酒一斤煮每日二服

一氣厥頭痛　川芎烏藥等分為末葱湯調下每二加白术煎服

一氣攻頭痛　香附炒四兩川芎一兩為末茶湯下每二錢

一女人血聾頭痛　香附為末茶服每三錢日三五服
一鼻衄心煩頭痛　石羔牡礪各一月為末新汲水服二ㄉ并嗃鼻內
一女人血風頭痛　草烏頭梔子等分為末葱汁調塗左右太陽額上
一虛寒頭痛連睛　生附二ㄉ白芷四ㄉ為末茶服仍以末搐鼻
一外感頭風涕淚痛不已　石羔煅二月川芎二月炙
草半月為末葱白煎湯下每服一錢日二服
一頭風頭痛　硫黃硝石各一月研細水丸空心茶下每一丸
一風寒頭痛　硫黃六ㄉ烏藥四ㄉ蒸餅丸食後茶湯下每五丸

一少陽頭痛并太陽不拘偏正　黄芩酒浸透為末一ㄌ酒下

一眉脏作痛風熱有痰　黄芩酒浸白芷等分為末一ㄌ茶下

一風熱頭痛　荆芥穗石羔等分川芎一ㄌ茶葉二ㄌ煎熱水服

一頭風睛痛　香附一刄藿香葉甘草各二ㄌ為末塩湯下二ㄌ

一太陽頭痛　姜活防風紅豆等分為末搐鼻

一頭風寒痛　亭歷子為末煯湯沸放入沐頭数次即愈

一頭風久痛　蘄艾揉為丸辰辰嗅之以黄水出為度

一風氣頭痛不可忍　草麻仁乳香等分搗餅隨左右

痛粘太陽穴立瘥

一風毒攻注頭目眩痛不可忍者　製附一枚為末生姜一两黑豆炒一合水酒煎調附末一錢温服

一頭風頭痛　大附一个去皮炒黄為末以絹袋盛浸酒中逐日温服

一八般頭風　半夏末百草霜少許作紙燒煙鼻中搐之口含水有涎吐去再含

一頭風作痛　蔓荊一斤為末袋盛浸酒七日温飲日三次

一切風熱頭痛　菊花石羔川烏各三錢為末每一錢半茶湯下

一偏頭風　雄黃細辛等分爲末左痛吹右鼻右亦然

一偏頭風　又川芎防風白芷等分剉細酒浸日飲之

一偏正頭風　香附炒一烏頭炒一甘草二爲末客丸如彈子葱茶湯下每服一丸

一偏正頭痛風寒流注年久不愈　附子一个生切四片姜汁一盞浸炙再浸再炙以汁盡爲度高良姜等分爲末茶湯下每服一錢

一偏正頭風并夾額太陽穴　白姜蚕末葱茶湯服匕一

一 腦風痛不可忍　遠志爲末搐鼻

一 腦痛眉痛　穀精ㇷ二地龍ㇷ三乳香ㇷ一爲末燒煙筒中

每用半錢隨左右薰鼻

一 腦洩臭穢　草烏頭半ㇳ川芎ㇳ二並生研末糊丸茶湯下每十丸

一 頭腦疼痛　龍腦ㇷ一紙捲燒煙薰鼻吐出痰涎即止

一 治身體毛細出血頭痛大黄一ㇳ蘇子炒五ㇷ二味煎服見大便出血即愈

眩暈

一 頭忽眩暈經久不瘥四體漸羸飲食無味好食黄土

白朮　麴各三ク　搗篩酒凡每服二十凡忌桃李青魚

一風熱上冲頭目眩暈或胸中不利　川芎　槐子各一月

為末煮茶調下每服三錢如胸中不利水煎服

一首風旋運及偏正頭疼多汗悪風胸膈痰飲

川芎半錢　天麻二月　為末客凡茶湯下每服一凡

一頭風眩暈及胎前産後傷風頭痛血風挾熱頭生磊塊

白芷洗晒為末客凡荊芥湯下每服一凡

一風痰眩暈頭痛氣欝胸膈不利　白附炮半ク　石羔煆

半ㄅ半 砒砂一ㄅ二 龍腦ㄅ一 爲末飯凡食後茶下每服三十丸

一頭風旋轉　蟬殼一ㄅ 微炒爲末非寺酒下一錢白湯亦可

一鼻血眩暈欲死　亂髮燒灰研末水調服匕一及吹之

面病

一身熱赤疵　銀屑泊參 常以銀楷令熱久之自清

一面上奸黷　鷄子一个去黄砒砂一ㄅ八内封固八

白伏雌下抱至雛出取塗面五度如玉

一女人面皯　輕粉活石杏仁去皮等分爲末蒸過八腦

射各少許以鷄子青調勻洗面畢傳之旬日後色如紅玉

一抓破面皮　輕粉末生姜自然汁調粉末摻之

一面身疣目　石灰苦酒浸之六七日取汁頻擒自瘥

一面上惡瘡五色　塩湯浸綿搨瘡上

一身面瘊子　白礬地膚子等分煎水頻洗之

一面皮䵟黷　白朮苦酒漬朮日日拭之

一頭面諸風　熱白芷切片以蘿蔔汁浸透爲末白湯下每二ㄉ或以搐鼻

一眉稜骨痛屬風與痰　白芷片芩酒炒爲末茶湯下二ㄉ

一面黠風瘡　井松香附各四两黒丑胖煎湯日洗

一頭風面瘡痒出黄水　艾二两醋一斤煎取汁毎薄紙上貼之一日二上一身面疣子　醋調南星末塗之

一面上黒氣　半夏焙研醋調敷勿見火不計數遍從早至晩如此三日皂角湯洗下面瑩如玉

喉病

一喉瘅腫痛　松霜井草各半两青黛一两為末醋糊凡毎凡含一丸

一方土殊煮汁石蟹磨飲并塗喉外加丹砂

一舌腫咽痛咽生瘜肉　鉄秤錘燒赤淬酒一盞噙之

一咽喉疼痛　銀硃海螵蛸等分為末吹之取涎

一纒喉風痺　雄黄磨新汲水一盞服之吐下即愈

一方蘿葱䘿入鹽少許絹包含　放絲瓜葉蒜葉同搗取汁服之

一喉中生肉　鹽綿裹筯頭拄鹽揩之日五六度

一懸癰卒腫　硇砂半錢綿裹含之嚥津即安

一喉痺牙疳　硼砂末吹并擦之若咽喉腫痛白梅和丸每含化一丸

一懸乳垂長咽中煩悶　白礬燒灰花鹽等分為末以筯頭頻點之

一肺熱喉痛有痰　甘草炒二匁桔梗一匁木通一夕每用二ク並阿膠半斤水一盞煎服

一喉痺毒氣　桔梗二匁水煎服

一治喉中起泡腫痛　驗方桔皮含化即愈

一火陰症咽痛三四日　甘草二匁桔梗一匁煎服

一喉痺作痛方一　升麻一匁半煎服取吐若喉閉以益母草生搗絞汁服

一方遠志肉為末吹之涎出為度

一急喉痺風不拘大人小兒　玄參牛蒡子半生半炒各一兩為末新汲水服一盞立瘥

一喉閉口噤　姜活三匁牛蒡子二匁水煎入白礬少許灌之

一喉痺口緊　馬蘭即菊頰或根或葉搗汁入醋少許灌喉中取痰自開或搐鼻孔中

一喉痺壅塞不通　紅花搗絞汁一盞服水煎服如無生用乾

一咽喉瘡腫　革麻子一枚樸硝一ㄅ芥穗一ㄅ為末容凡綿包含嚥之

一喉腫難食連舌本　韮一把搗熬傳之叅即易

一風熱病咽痛　童便三合含之一方白芨桔梗當歸炙草梔子白薑根等分煎服

口病附口臭　一被輕粉口裂金屑豬汁頻頻含能殺粉毒

一口瘡咽喉上膈有熱寒水石煅三ㄅ硃砂三ㄅ半腦子半ㄅ為末摻之

一口舌生瘡　樸硝含之

一口瘡蠹齒腫痛　細辛煎汁熱含吐去即瘥

一口吻生瘡　縮砂殼煅研摻之

一胃冷口酸常流清水心下連臍痛

蓽茇半両厚樸一両製為末入煨鯽魚肉研和丸用米汁下每二十丸

一久患口瘡　生附米醋麵調貼足心男左女右之更換

一口中生蕈　用醋漱口以茄蕈燒灰飛塩等分米醋調擦之

一白口惡瘡狀似木耳　青黛五倍子等分為末以筒吹之

一香口去臭　密佗僧一錢磨醋漱口

一口中氣臭　明礬射香爲末擦牙上

一齒敗口臭　川芎水煯含之

一口齒氣臭　白芷川芎等分食後密調服之

一香口辟臭　一方草豆蔻細辛益智甘草研粉舐之

一方藿香香薷水煎含之加梅曝乾調入含之

脣病

一脣腫黑痛痒不可忍　古文錢于石上磨猪脂汁以塗之

一脣乾裂痛　桃仁搗和猪脂傅之

一脣爆生瘡　青皮燒研猪脂調塗之

一脣裂生瘡　橄欖寔炒研猪脂和塗之

齒病

一齒斷宣露　蚯蚓糞水和成團煆赤研末猪脂調敷

一齒縫出血　百草霜末摻之立止

一方苦參一兩枯礬一錢爲末擦之　一方人參茯苓麥冬煎服

一風牙疼痛　銀屑一兩燒紅老酒一盞熱漱飲之立止

一胃火牙疼　石羔(一兩火煅酒淬為末)八防風荊芥細辛白芷各五分為末搽牙叔升麻生地煎湯捻含之

一風牙腫痛　石灰三年者細辛等分研末搽之

一方獨活焟酒熱漱之　一方白芷呉茱煎湯漱之

一牙虫作痛　礦灰砂糖和塞鼻中　一方蛇床燭盡華茇(研末塗之)

一風虫牙痛　石灰(百年者四兩末)蜜(三兩)拌匀(鹽泥封固煅一日為末擦牙)

一牙宣有䘌　土硃荊芥薑皂角(二个)燒赤研揩齒

一牙齒疼痛　朴硝皂角縮砂煎濃(同硝化淋于石上待成霜擦之)

一齒牙腫痛　白礬ㄗ一燒枯久露蜂房ㄗ一微炙爲末青

蒿一把水煎調藥末每次二錢含之

一齒齦出血不止　礬石一刃水熠含漱

一齒䶩腫痛　桔梗薏苡等分爲末服

一腎虚齒痛　井松硫黄等分爲末炮湯漱之如日久

者補骨脂一刃青鹽半刃炒研擦之

一虫風牙痛上連頭腦　補骨脂炒半刃乳香一錢半

爲末擦之或爲丸塞孔内有效

一牢牙去風治牙疼牙宣　香附炒存性三兩青鹽半兩生姜各半兩為末擦之

一齒牙蟲𧍸　韮根十根川椒二十粒香油少許水桶上泥同擣傳牙頰上良久有蟲出數日即愈

一牙痛引頭　五倍子一兩玄胡三錢雄黃三錢為末先以姜擦去涎用此楷牙以津洗目日日用之

一治堅齒方傳方　白礬黃蠟茄畄白鹽少許水煎口含即愈

舌病附口舌病

一舌腫塞口不治殺人　甘草煎湯熱漱之

一舌卒腫大如猪脬狀滿口　鐺墨研和酒塗之

一舌脹滿口　蒲黄乾姜等分爲末搽之

一舌脹塞口或舌腫出外　萆麻子四十枚去壳研油塗紙上作燃薰之未退再作以愈爲度

一舌上出血鑽孔者　香需煎汁服一斤

一舌上出血針孔　赤小豆一斤打碎水和絞汁服

一舌上出血如簪孔　巴豆一枚乱髪焼研酒服

一舌胎語蹇　蕕荷汁和白蜜姜汁擦之

一舌縮口禁　生艾或乾搗汁傳之

一重舌木舌脹大塞口　半夏煎醋含漱冷吐再含

一重舌生瘡　蒲凡末傳之　一重舌鵞口 赤小豆末醋和塗之

一咽中懸癰舌腫蹇痛 五倍子白姜蚕甘草末等分白梅肉搗凡含嚥自破其癰

一重舌木舌　姜蚕ワ二黄連蜜炒ワ二為末掺之涎出為妙

一重舌脹痛　五靈脂月一酒淨為末水煎醋漱之

一口舌糜瘡　蚯蚓呉茱研末醋和生麵塗足心

一口舌生瘡下虛上壅　方一桔梗月一甘草月二水煎服白礬

炮湯濯足方一升麻乾姜黄連細辛水煎含之

一治黄白黑舌傳方祕𣉳䵷研出許病人含做一更辰補黜麻燒痎即愈

一治白舌硫黄一ㄗ百草霜三ㄗ散末和清水飲之

鼻病

一鼻氣壅塞或鼻中瘜肉或鼻瘡膿臭並用百草霜末冷水服一ㄗ之

一鼻内生瘡密佗僧香白芷等分爲末蠟燭油調搽之

又方玄參末塗之　又方生大黄杏仁擣匀猪脂和塗

一鼻皶赤皰音砲面瘡密陀僧二ㄗ研細人乳調夜塗旦洗

一鼻準赤色　雄黃硫黃各五ㄗ水粉二ㄗ用初生乳調傅之

一陶鼓赤鼻　塩常擦之　一鼻中瘜肉　硃砂硇砂細辛點之即落

一鼻上作痛　硫黃末冷水調塗之

一酒皶赤鼻　硫黃半ㄗ杏仁二ㄗ輕粉一ㄗ夜夜擦之

一鼻面紫風　乃風熱上攻陰陽經絡兼風刺癮疹　每硫黃白礬等分為末以黃丹少許津唾調塗

一小兒鼻𪖙鼻下兩道赤色有瘡　以黃連用米泔洗研末敷之

一鼻瘡膿臭有蟲也　苦參枯礬各一ㄗ生地黃汁三合水二盞煎滴之

一食物入鼻食寺作痛不出　牛脂一棗大納鼻中吸

八脂消則物隨之　一鼻流清涕（書名鼻淵）葦茇（即蓽茇）末吹之

眼病

一切目疾　爐甘石（半斤）黃連（四兩）剉豆大銀石器内水二碗煮二伏寺去連爲末八片腦（半二ㇷ）研匀每點少許

一方　商麻子（即莨菪檜茬）爲末以猪肝開臙薬炙爲末陳米湯下

一男女肝經不足風熱上攻頭目昏暗（及淚羞明障翳青盲等症）

黃連末（一兩）羊肝一具去膜擣爛凡溫湯（下十四凡連作五劑好）

一切眼病血勞風氣頭痛頭旋目眩等症（荊芥穗爲末每酒服二ㇷ）

一積年失明不能遠視　决明子trigger羊肝一具去膜以

葱子一勺炒爲末服

一切目疾昏障　㕑伴銅𥑮熬起紫色入彩過黄丹𧵳二

水一碗柯子肉四个再煉入甕封埋地中三七日取

出或點或貼

坎卷終

安培社拳人陳輝㴥助五貫律㕥社百户陳度助六貫

古寧村百户阮益助六貫　春榜社百户蘇稲助五貫

陽𨛦社副總武奮助三貫　瑞隴總副總陳文德助三貫

（此頁據中國國家圖書館藏本配補）

大黃社該總蘇浦助五貫　鹽田社百户蘇憑助二貫
朗東社里長武堅助三貫　知礼社百户裴克家助二戔
春平總該總阮德瑶助三貫　唐詠村蘇團校德濯助三貫
高邁總助戍以下　該總阮弘助六貫副總阮瓌助三貫
副總陳有冀助五貫　百户陳兼助二貫洞中社助戍以下
阮有搁助■戔　阮有本助■戔
九品餒春榜助三貫南塘社秀才范諾副總范琏助十貫
總黃社九品陳林助三貫總檢陳誠助二貫

（此頁據中國國家圖書館藏本配補）

R. 1165

新鐫海上醫宗心領全帙卷之五十二

行簡珍需良卷

海上懶翁黎氏纂輯

後學唐鄗武春軒奉較

目次

痰飲　停飲　咳嗽　哮吼　目次終

耳病

一耳閉不明　麝香吹入後將葱塞耳孔内耳自明

一耳出膿　人髮燒爲末吹入即效此湿者燥之義也

一馬蝗入耳　田中泥取一盆枕耳邊聞氣自出

一水銀入耳蝕食人腦　金屑枕耳邊自出

一蚰蜒入耳一方　黄丹酥客杏仁等分熬膏綿包塞之

聞香即出抽取一方　緑礬水調灌之

一百虫入耳　一方百部炒研生油調貼耳門　一方銅青生油調滴入

一諸虫入耳　一方雄黄燒烟薰之自已

一蛆入耳中　綠礬摻之即化爲水

一熱入耳聾　生鉄燒杖酒中飲之仍以磁石塞耳日夜去

一耳卒聾閉　磁石半錢入病耳内鉄砂末入不病耳内自然通泰

一耳中出血　蒲黄炒黑爲末摻之即愈

一腎虛耳聾　磁石一豆大穿山甲一錢燒研塞耳内

口含生鉄一塊覺耳中如風聲即通

一耳卒聾閉　方一　硫黄雄黄等分溶黄蠟化凡塞之(二次即愈)

一方香附炒研蘿蔔子煎湯服忌諸鉄器

一耳中卒痛　用磨刀水取濃汁滴入即效

一耳出臭膿　雄黄雌黄硫黄等分為末吹之

一停耳有膿　海浮石(一兩)没藥(一錢)麝香(一分)(各為末吹之)

一風病耳鳴　塩五斤蒸熱以耳枕之冷復易

一停耳出血汁　枯礬(一兩)鉛丹(炒一兩)為末日吹之

一耳生爛瘡　棗子去核包青礬煅研香油調傅

一耳內濕瘡　蛇床　黃連各一兩　輕粉一錢　為末吹之

一耳中常鳴　生地黃截塞耳內日数易

一耳中疼痛如有虫行血水流出或乾痛難忍蚯蚓燒研吹之

鬚眉髮附去風

一赤髮秃落　青銅油磨塗之即生

一眉毛脫落一方　雄黃一兩米醋和塗之

一方白礬十兩燒研丸每溫水空心下七丸日加一丸至四十九丸又減一丸周而復始以愈為度

一眉毛不生　芥子半夏等分為末生姜汁調摻

一塗染白髮　緑礬蓊荷烏頭等分為末以鉄漿水浸日塗之

一病後髮落　骨碎補即核祖蝓野薔薇嫩枝煎汁刷之

一頭髮不生　側栢葉陰乾為末和麻油塗之

一頭髮黄赤　側栢葉半斤猪膏一斤和凡每凡納泪汁中化用沐之一月黑色而潤

一薫衣去虱　百部秦芃為末入竹筒薫衣自落或煮湯洗衣亦可

手足腫痛

一手臂疼痛　當歸三两温酒浸三日温飲之飲盡又浸以瘥為度

一手足欲斷腫痛　蚓三斤以水五斤絞汁二斤半服之
一大指疼痛　蚓杵傳之　一脚指濕爛　蚌蛤粉用乾摻之
一臂脛疼痛　虎脛骨二兩鹽碎炙黃羚羊角屑一兩新芳
藥二兩並切片以無灰酒浸之七日秋冬倍之每日空
心飲一盃若欲速置爐中數日
一脚跟腫痛不能著地　黃牛屎八鹽炒熱罨之
一腰脚不隨攣急冷痛　虎脛骨五錢大塗酥炙黃搗碎
絹袋盛之以瓶盛酒一斗浸烘溫七日後用飲見輕快是其效驗也

一兩足湿痺疼痛如火燎 傳方以下

蒼朮黄栢牛膝防已當歸萆薢熟地爲末糊丸 下塩湯

一兩足腫痛脚脛枯細 名鶴膝風 宜用四物湯

芎歸熟芍加参芪朮附子牛膝杜仲防風姜活 甘草煎服

一痰湿横行臂痛 蒼朮白朮南星陳皮茯苓香附酒

芩姜活葳靈甘草半夏少加薄桂 引星半八痛處生姜三片煎服立效

一氣滞足痛 白朮當歸茯苓附子乾姜陳皮 炙草水煎服

一血滞足痛 熟地山藥 澤左薏苡杜仲續断木瓜牛必姜活附子乾姜煎服

一男婦湿痺手足四肢不擧 北國人傳

蒼朮二兩　茴香一兩　桂枝一兩　艾葉一兩　酒煑揉痛處累驗

陽痿 即陽事不擧

一陰痿陰汗　陽起石煆末塩酒下每服二錢

一陽事不擧　五味子一斤為末酒服每一匙 日三服忌猪魚蒜醋

一丈夫陰痿　蚕蛾一斤去頭翅足炒末蜜丸 每服一丸可御十女

一陰痿不起 方一　雄鷄肝一具兎絲子一斤為末雀卵和丸酒下每百丸

方一　雀卵和天雄兎絲為末丸空心酒下

一壯陽益腎　白羊肉一斤生切以蒜韮食之三日一度

一陽事虛痿小便頻數面色無光　嫩鹿茸一兩切片山藥末一兩絹袋置酒缾中七日將茸焙作丸以浸酒化下每數盃

一起陽丹　臥方　霍羊油焙乾穿仙牙二兩雄黃一兩酒蒸三次川巴戟二兩去骨川牛膝棗仁破故酒炒各二兩枸杞巨勝子去殼兔絲酒炒當歸白茯苓熟地酒蒸杜仲鹽炒怀山胳二好酒煎臨寺服一二盃屢戰不倦極驗

陰前諸病　男婦同

一玉莖不痿精活無竭寺寺如鍼刺揑之則脆或名腎漏此
破故韮子各一兩爲末每用三錢水二盞煎六分日服三次愈則止
一陰汗濕痒　黄芪酒浸炒末以熟猪心點喫
又方　龍骨牡礪粉搽音蹋之
一陰冷疼痛漸入囊内腫滿殺人　車前子末每一匕日二服
一陰腫如斗　鷄翅毛一孔生兩莖者燒灰服左腫取
右翅右腫取左翅如双腫則並用
一婦人陰痒　外傳桃仁煯爛綿包塞之若腫炒香末服日二次

一男陰卒腫并婦陰發腫冷入腹　伏龍肝和鷄子白傅之

一陰下湿汗　活石刄一石羔刄煆半枯礬少許研末傅之

一婦人陰痛　蛇床末塩以青布褁熱熨之

又方蛇床烏梅煎水洗之日五六次

一女人陰瘡或玉門寔冷　硫黄末傅之乃止寔冷則煎湯頻洗

一陰頭生瘡　密煎甘草末頻頻塗之

一陰下湿痒　甘草煎湯日洗三五度

一婦人陰痒　蛇床刄一白礬刄二煎湯頻洗

一男子陰腫脹痛　蛇床末鷄子黃調塗之

一女人陰腫　苷菊苗搗爛煎先薰後洗

一男子陰腫并婦人疝痛名小腸氣（馬鞭草搗塗之又以一兩煎酒服）

一陰囊腫痛　（方一）葱白乳香搗塗之　（方一）加煨姜（八）塩搗（塗之）

一陰寒瘦弱　蜂房灰夜傳陰上即熱起

一陰蝕欲盡　蠐螬燒灰兎屎等分爲末傳之

一陰頭蝕痒并治口痒　鷄肶胵（音皮鴟鳥之腸胃也）不落水新

瓦焙出火毒爲末先將米泔洗瘡乃塗之

一婦人陰𧏾作痒𧏾女六切音𧏾乃虫食病也 羊肝納入引虫若陰脫以羊脂煎頻塗之

一外腎生瘡 蚯蚓糞三分綠豆粉一分水研塗乾又塗

一男子陰頭痛 烏賊骨爲末敷之

一陰蝕腫痛 烏賊骨燒末酒調服

癩疝

一卒得疝氣小腹及陰中相引痛如絞自汗出欲死

沙參一兩研末酒調服一匙立愈

一遠年近日小腸疝氣偏墜掣疼臍下撮痛以致悶乱

及外腎腫硬日漸長大及陰湿痒成瘡　吴茱一斤去硬

分作四分一酒浸一淡湯浸一醋浸一小便浸各一宿同焙乾澤左二兩

為末酒糊丸空心塩湯下或酒湯下每服五十丸

一偏墜疝氣　苷堝即鉛鈉金銀煿研末温酒下二錢

一陰腫如斗痛不可忍　雄黄白礬各二兩　苷草一尺水煮浸之

一小膓疝氣莖縮囊腫　浮石香附各二ク為末木通赤茯苓麥冬湯下每服二ク

一疝氣危急　玄胡塩炒　全蝎去毒生用等分為末塩酒下每半ク

一陰㿗腫痛　荆芥穗瓦焙為末酒服每二錢

一小腸疝氣　土殊煅醋淬為末白湯下每二錢

一方　木香四兩酒煑日飲三次　一方　鷄卵取黄攪温水服

一小兒陰腫　葱椒湯洗之唾調地黄末敷之外腎熱

者加鷄子青調或加牡蠣少許

一疝氣偏腫　卄遂茴香等分為末調酒服二錢

一陰疝腫刺發腫痛如刺　生射干搗汁與服取利或凡服

一卵腫偏墜　絲瓜架上初結者留下結瓜結盡葉落

辰取下燒為末蜜煉成膏每晚好酒服一匕如左腫右睡右腫左睡

一陰腎㿗腫　橄欖核荔枝等分燒末茴香湯下每服二戈

一寒疝徃来　吴茱一戔生姜半戔酒煎分服

一偏墜腫痛　蘇木二戔酒煑頻飲　又方一桐葉加塩少許

一偏腫外腎　桂末水調塗之

一偏墜氣痛　陳石灰焙五倍山栀等分大黄並為末醋調塗之

一陰疝偏墜痛甚　木鼈子一个醋黄栢芙蓉末塗之

一治横㮾疝氣在小腹板柱者是也　驗方補骨脂伴芝麻炒熟為末用無灰酒下一銭

一治沙題症　幔朝草薺子炒散末和一飲之即愈

一治疝氣　傳方犬胆五リ鴨胆五リ魴魚脂五リ桂心五刄桂搭

一斤右各味入酒一盃焼以三炷香為度取出下土一夜

疝痛

一寒疝腹痛繞臍手足厥冷自汗脉弦而緊者

大附五枚去皮臍水三斤煮取一斤納蜜二斤煮膏強服七合弱服五合

一寒疝引脇筋心腹背痛　大附四枚四破白蜜一斤煎

令透取焙末別以蒸蜜和凡冷塩湯下毎二十凡永除

一寒疝滑泄腹痛腸鳴自汗厥逆　製附玄胡各一炒生木香五分共為末水姜七片煎温服每四錢

一諸疝小腸氣膀胱氣脾胃諸痛風寒腹痛攣急汗出厥逆　大附一枚炒　山梔四兩炒末　水酒盞温服每三錢一如陰疝小腹腫痛加羨黎虛者加桂枝姜汁糊凡酒下每五六凡

一腹痛疝積　蝟皮燒灰酒調服

一心痛氣疝由湿熱因寒鬱而發者　大附山梔各一分為末用順流水八姜汁一匙下盖梔降湿熱附破鬱寒附為梔引其性急速不留胃中也

一治風疝方蘭和柴傳　蒼朮ク一　川芎ク五　雄黃ク一　神砂ク五　血餘ク三　丁香ク四　官桂ク三　茸草ク三　桔梗ク三　菖蒲ク一　皂角　防風各一ク　阿魏ク三　鬼見愁ク三　虎頭骨ク五　洗香ク三　射香ク三　散末以香油為丸雄黃為衣芙蓉千麻服或極熱以醋為湯甚妙

氣痛　一切氣痛不拘男女冷氣肥氣息賁氣伏梁氣奔豚氣搶心切痛冷汗喘息欲絶　烏藥小者酒浸一夕　茴香　青皮去白　良姜等分並炒為末溫酒童便送下

一心脾氣痛　凡人胸堂軟處一點痛者多因氣及寒

起或致終身或母子相傳俗名心氣痛非也乃胃脘滯耳惟此独步散治之甚妙

香附米醋浸畧炒末良姜酒洗七次炒為末　因於寒者姜二ㄅ附一ㄅ　因於氣者附二ㄅ姜一ㄅ　因氣與寒者二味調匀米汁入姜汁塩少許調下七八次除根

一升降諸氣暖則宣通　製附大一枚磨澆香分二服

一切走注氣痛不和　木香溫水磨熱酒調服

一調中快氣或心腹刺痛　香附焙二十ㄅ烏藥十ㄅ甘草炒二ㄅ為末塩湯下每服二ㄅ

一切冷氣兼去風寒瘀走遍身疼痛

紫蘇子高良姜橘皮等分為末客凡酒下每十凡

一順氣利腸　紫蘇子麻仁等分搗爛取汁同米煮粥食

一氣血刺痛　方一香附炒一荔枝核燒五ㄅ各為末米汁下每二ㄅ

方一五靈脂生研三ㄅ酒一盃煎熱調服

一心脾氣痛氣痛冥有痰　牡礪煆粉酒服一錢

一心氣疼痛　蛤粉炒白香附炒為末等分白湯服一方鷄卵一枚入醋二合調服之

心痛　一切冷氣搶心切痛發即欲死與久患心腹痛

於發辰用之可絕根　蓬莪朮二月醋炙木香一月煨各為末婆醋湯下每服五ㄅ半

一寒厥心痛及小腸膀胱痛不可忍　熟附鬱金橘紅各一兩為末醋糊丸硃砂為衣每服一丸男酒湯下女醋湯下

一熱厥心痛或發或止久不愈身熱足寒　玄胡去皮金鈴子肉等分為末溫酒或白湯下每服二錢　一方苦楝玄胡各一兩為末溫酒下每三錢

一冷熱心痛　伏龍肝為末熱湯下或冷酒下每一匙

一心氣卒痛　一方蚕脐墨二錢小便調下　一方桃仁七枚去皮研調水服　一方乾姜為末米飲服一錢　一方東引桃枝一把酒煎服

一暴急心氣痛　一方五靈脂炒一錢半炮姜三分為末熱酒下

一方丁香末黄蠟燈上燒化百草霜為衣井水下每三丸

一途中心痛　橘皮去白煎飲　一心下刺痛　當歸末酒下每一匕

一心氣疼痛　菉豆二十粒胡椒四十粒同研白湯調服立止

一積年心痛不可忍　蒜煿食炮勿著鹽用之甚效永不再發

一心腹痛冷熱氣不和　山梔附子等分生研為末酒糊丸生姜下每五十丸　小腸氣痛加炒茴香葱酒下二十丸

一脾胃冷痛　白芨為末沸湯調服

一心痛及小腸氣痛　荔枝核一枚燒研末酒調服

一心腹痛脹氣短欲絶　桂𦙶二水一斤二合煎八合服

腹痛　一男女大小心腹痛及小腸疝痛諸藥不效者

䏶行䏶止與婦人妊娠心痛及産後心痛小腹痛氣

血痛尤妙　五靈脂蒲黄等分爲末或醋或酒調藥

末熬膏水煎服未止再服或醋糊凡童便酒服

一女子小腹痛月經初来便覺腰切痛連脊間如刀錐

所刺　積雪草男蔞䐗戶夏五月正放花表即採晒乾研

末醋調服毎二匕日且一服如女子先冷者則取前

棄肝五加桃仁二百枚去皮尖瓷凡每旦酒下三十凡日二服忌摩

一腹痛卒暴　山豆根水研半盞服入口即定

一男女心氣痛小腹痛血氣痛一切諸痛　香附二兩乂棄半兩以醋湯同煑熟去乂炒爲末醋米糊凡白湯服每五十凡

一腹中虚痛　白芍三刄炙草一刄夏熱加黄芩五分冬寒加桂一錢惡寒加肉桂一錢煎服

一小腹熱痛青黒或赤色不能喘者　苦参一刄醋一斤煎半合分二服　一臍中絞痛芥子爲末瓷凡寅申辰井花水下每服七凡

一元臟腹冷及開胃　香附炒為末姜鹽煎調服每二ㄅ

一心腹冷痛　三柰子丁香當皈甘草等分為末醋糊丸酒下每三十丸

一絞腸沙痛　童便乘熱服之立止加馬蘭根葉汁

一萬寶丹治積痛經年不愈卧方以下　黑礬一ㄅ乳香五ㄅ丁香五十个茴香一ㄅ白礬一ㄅ吳茱五ㄅ香附當歸黃香各一ㄅ木香肉桂各一ㄅ欝金二ㄅ草菓甘草各三ㄅ亚為末混一以黑白礬為一以沂堝入鹽於下泥封火炙一日取藥去鹽為丸如指頭大每服三丸桙湯下

一治久痛男女並用　洸香木香各一ㄗ　梹榔忌火五分　九孔以黃鶯柴燒灰散末四分為衣　蒼朮炒黑五分　並為末以乳香沒藥各二ㄗ煎取水丸如青豆每服十二丸白湯下或霍香湯下亦可間服補中湯加厚朴立效

一治小腹痛牽引逆冲于胃脘奔豚注痛傳方以下　白錫五ㄗ　硫黃五ㄗ　先溶化白錫以硫黃混匀沉香官桂吳茱萸鹽炒小茴炒破固鹽炒牛膝乳香各五ㄗ　丁香二十ケ研末糊丸姜湯下二十丸

一治或如上症而脉細無力乃先天不足真陰欲脱

參ノ三熟ノ五朮ノ三附ノ一麥門ノ二牛膝ノ二官桂炙草各一

錢五味十五粒水煎温服

一治腹痛　川練浣香皂角仁白碧丹草各為末糊凡酒湯送下

一治腹痛霍亂症　菓寢枯燒灰和與清水飲之即愈

霍亂

一乾霍亂不吐不利脹痛欲死　地漿即落坦三五盃服大忌米湯

一霍亂及嘔吐不納食藥危急　陰陽水飲数口即定

一霍亂煩悶渴　人參五ㄗ　桂心半ㄗ　煎服　一方　東壁土　水煮汁服

一乾霍亂　石灰千年者　沙糖水調服二錢　或淡醋湯下亦可

一霍亂吐瀉　枯白礬一ㄗ　百沸湯調下　一方　白豆蔲爲末　姜湯服一ㄗ

一霍亂嘔悪　人參二ㄗ　水煎取汁一盞　入鷄子白一枚　再煎　磨丁香服

一霍亂吐瀉垂危　霍香葉　陳皮各半ㄗ　水煎服　如煩渴

加葛根甘草　又以芥子研調水塗臍上

一霍亂脹滿未得吐下　一方　生蘇葉絞汁服　或乾葉煮服

一方　丁香　生姜　檳榔　小便　水煎服　一方　巴豆一枚去皮心　熱水研服　得吐利即定

一霍亂吐下不止　艾一把水煮服

一霍亂煩悶腹脹　半夏製桂等分為末蘆粟菖蒲煎調藥末服之

一霍亂轉筋腹脹不得吐下　梔子二十枚亂髮一團並燒灰薑酒湯調服取吐

一霍亂轉筋　皂角末如豆許吹入鼻中取嚏即安

一霍亂垂死者服之可以回生　龍骨烏犀角磨水飲之效

一治霍亂二十八症　核黏鶻一把米半合薑少許同搗水調勻去滓飲或吐不吐即愈如轉筋加紫蘇葉

一霍亂腹痛吐瀉等症　扶老葉果要白地楊果要菖蒲無

花葉（罡蘿莧）共搗末水煎服（或凡亦可如因房室或茶水或焉酒亦可）

一霍亂急症　陳皮霍香等分（生姜七片煎數沸以木香沈香菖邊同煎服愛錄）

一治霍亂轉筋四肢厥冷并瀉泄腹痛等症

橙寔（名昌静）六七个若無用葉向東而取七葉去骨（生用）

轉筋　一轉筋八腹其人臂脚直其脉上下微弦

鷄屎白（雄鷄屎乃有白）為末煎服外以塩炒分二包一熨心

腹一熨背後如氣絶尚煖以塩填臍灸七壯

一脚肚轉筋　蜈蚣燒末以猪脂和傅之

脇痛　一心煩脇痛連胸欲死　香薷擣汁一斤服

一脇下刺痛　蘹香子一两炒　枳殼五钱麩炒　爲末盐酒下每二钱

一治脇痛神效肝腎兼滋湯此方平肝養腎　熟地當歸各一两　白芍二两　白芥茸草各三钱　梔子一钱　水煎服

腰痛　一腎氣虛弱風冷乘之或氣血相搏腰疼如折俯仰不利或因勞役傷腎或痺濕傷腎或損墜傷或風寒客搏或氣滯不散皆令腰痛或腰間如物重墜

破故帋一斤酒浸炒　杜仲一斤去皮姜汁浸炒　胡桃肉二十个去皮　並爲

末以蒜搗膏爲丸空心酒服二十丸婦人淡醋湯下壯筋骨活血脉

一腎虛腰痛如刺不能搖動　鹿角屑三兩炒黃研末空心温酒服每一匕日三服

一腎虛腰疼　一方破故一兩炒末木香一分末酒服

一方蘹香子炒羊腎陰乾並爲末酒服　一方羊骨髓槌碎煮肉從容一兩草菓數枚和漿葱作羹服

一冷氣腰疼　玄胡當皈桂心等分爲末温酒服𠃌三四

一虛寒腰痛　鹿茸去毛醋炙微黃附子炮各二兩茴花三分棗

肉凡白酒下每服三十凡

一腰脚諸痛　威靈仙爲末空心酒服每一以微利爲度

一腰痛如刺　方一橘核杜仲各二兩炒末塩酒湯下

方一蘹香子炒研塩酒下每二錢外以糯米斤一炒熱壓痛處方一枸杞根杜仲萆薢隔水酒煮常服

一腰脇卒痛　方一黑豆炒二斤酒一斤烙服

方一鱉甲炙研末酒服每匕一外以菉豆炒散熨之

一婦人腰痛　鹿角屑炒黄研末酒服每一匕日五次

一打墜腰痛瘀血滯氣　破固紙茴香並炒薄桂等分爲末熱酒服每二ㄅ甚效

一腰脊痛脹　芥子爲末調酒貼之

一腰痛難堪　𭾯用艾葉不拘多少擣爛加童便以蕉葉包之置于腎俞穴米煮蒸將蝎掩冷又更壓之

一治腰濕痛神酒　傳方赤白鬼射五加皮大黑豆蝬汁牛膝根紫葛貝根黄龍根綿文香藤根桑寄生酒煮内飲外塗若經年服二旬可愈

一治心腰一㸃痛　陳皮半夏茯苓烏藥枳殻姜蚕川

芎白芷麻黃桔梗乾姜紫蘇香附蒼朮姜活独活甘草煎服

痰飲　一經治男女有痰而無咳嗽周身疼痛傳方以下

胆礬伍清水一小盞白酒一小盞同混入一盞封固

隔水煮良久取出飲之臨卧不可動而眠一刻痰涎出而痛止

一痰咳順卧右邊不順卧左邊卧則氣逆痰氣喘促

用二陳湯加青皮香附白芥歸芎蘇子蘿蔔

一痰喘如曳鋸者　用黃丹枯礬各一分為末薄荷湯下每服一分

一痰咳順卧左邊不順卧右邊卧於右則氣逆喘促

用二陳湯加白芥蘿蔔蘇子氣虚加參芪

一治痰冷腰腹疼痛　無患皮去粗炒過白礬彤過爲末糊丸每服三十丸五加皮湯下

一冷痰在膜裏外　用二陳湯加南星白芥乾姜附子丁香茴香官桂砂仁白朮

一治風寒咳嗽及非風初感清消痰滯氣逆喘促等症白芥丸含大人小兒壯寔者可用老人氣虚不可用

一墜痰神仙丸　駢方以下諸方無如此方甚妙

皂角（二兩半去皮油炙黄去子淨一兩大刀）白礬（二兩生用）黑丑（四兩為末水丸酒下）

一吐痰丸　胆礬（一分）硃砂（五分）烏梅肉（三個）丸　（一方）龍骨樹

用雌者刮取白皮一小盞赤霧清水一小盞煎數沸

空心服片辰痰吐出盡食菉豆粥補之（重者二服愈每服半小盞）

一痰飲化丸　治男婦小兒丞神效　黑丑（四兩半生半炒）皂角

（二兩去仁炒）黄瓜蔞（一兩去油）貝母（五分）容丸如豆大每服三十

丸姜湯下如痰涎咳嗽喘急鶴虱湯下

一痰氣結胸不問陰陽虛寔服此最妙　銀硃（半兩）明礬

一月同研尾器盛炭火溶化刮取真茶入姜汁少許服

每一銭心上隱隱有聲結胸自散不傷真氣盖礬化痰銀硃破積也

一痰結胸中不散　客佗僧一月醋水各一盞煎乾為末

又以酒水各一盞煎沸調服每二銭少頃吐出

一痰停在胃喘息不通呼吸欲絶

雌黄一月雄黄半一ㄋ為末蟾化丸半夜一凡投熱糯米粥食

一胸中痰癖頭痛不欲食　明礬一月水二斤煮取一斤

入客半合服須臾大吐未吐再飲少熱湯以引之

一開胃化痰丸治不思飲食大人小兒同　人參焙一兩　半夏焙二兩　姜汁為末糊丸食後姜湯下每三五十丸日三服

一化痰降氣止咳解鬱消食除脹　貝母去心製一兩　姜厚朴半兩為末窩丸白湯下每服五十丸

一停痰宿飲風氣上攻胸膈不利　香附皂角水浸　半夏製各一兩　白礬半兩各為末姜汁糊丸姜湯下每三四十丸

一清上化痰利咽膈治風熱　蒲荷乾為末窩丸或白沙糖和丸亦可每含一丸

一停痰飲冷嘔逆　橘皮　半夏製各一兩　生姜七片水煎溫服

一治老人痰咳氣喘　白芥蘇子蘿葍南星陳皮黃芩枳寔赤茯苓甘草生姜三片煎服

一治痰風火鼻旁赤狀如赤癩風　南星半夏赤茯苓橘紅乾姜並生用等分爲末糊丸每服五十丸淡姜湯下

一痰結胸膈咯不出嚥不下作痛不能轉側滿悶作寒熱氣急并食積咳嗽等症瓜蔞枳寔桔梗茯苓貝母黃芩陳皮山梔各一當皈砂仁木香各五甘草二姜三片入竹瀝少許調服如迷心竅不能言去木香加菖蒲氣喘加桑皮蘇子外用生姜炁熱揉痛處

停飲一五飲酒癖一留飲水停心下二癖飲水在兩脇三痰飲水在胸中四溢飲水在五臟間五流飲水在腸間皆由胃寒飲食生冷或飲茶過多

白朮一兩乾姜桂心各半兩為末蜜丸溫水下每二三十丸

一心下有水停　白朮三兩澤左五兩水煎分三服

咳嗽　一痰熱喘咳痰湧如泉　石羔煅寒水石各五錢為末人參湯下每三錢

一咳逆上氣唾濁不得卧　皂莢炙去皮子研末蜜丸棗湯下每一丸日三夜一

一久近痰咳胸膈下痞停飲於臟腑　知母貝母各一錢

巴豆三十枚去油研勻姜三片水煎下每一錢瀉下其咳乃止壯人者可用弱人去巴豆

一久咳上氣累年不治者　伏翼除翅足酒浸焼焦研末食後牛米飲服每一リ

一久嗽涕唾由肺痿辰寒熱頰赤氣急　童便去頭尾五合草粉末一リ平旦服一日一劑或草切片浸童便露一夕去草服更妙童子忌食五辛

一小兒咳嗽聲不出者　紫菀杏仁去皮尖炒等分研勻蜜凡五味湯化下每服一凡

一骨蒸咳嗽潮熱者　鱉甲ケ一紫菀前胡知母貝母杏仁リ各五同焙蒸去甲骨食肉飲汁將藥焙末又以骨甲焙汁凡黃芪湯下每服三十凡服盡以參芪治

一肺熱咳嗽　沙參リ半紫菀リ五水煎溫服

一咳嗽肺脹　五靈脂二月　胡桃仁八个　栢子仁半月　研勻水丸　甘草湯下每服二十丸

一卒暴咳嗽　白堊坦塊　白礬一月　並為末　姜汁糊丸　姜湯下每二十丸

一痰飲咳嗽　葶藶子一月炒黑　知母　貝母各一月　為末棗肉半月　砂糖一月半　共和丸如彈子　每新綿包含一丸　甚者二三丸

一咳逆胸滿　柿菓并蒂　丁香各二リ　生姜五片　煎服或為末白湯下　一加半夏生姜　一加青皮陳皮　一加良姜甘草　一加參治虛咳逆

一痰喘咳嗽　蜆殼蚶螄多年者燒存性　研末米汁調下

每一ᄀ日三服 一方天仙子一ᄀ雄黄二ᄀ氷梅草龍腦各二ᄀ橙汁丸含

一上氣咳逆 砂仁炒散生姜等分搗爛食遠熱酒炮服又以紫蘇子研入水濾汁入糯米煮粥食之

一止嗽化痰丸（斟方）槐花五倍冬花百合密丸茶湯下

一治咳嗽（傳方以下）（一方）鵝虱荷荷杏仁皂角雄黄桔梗桔梗甘草作丸活鹿湯下（一方）野猪全根莖十分皂角全取六分並燒存性荷荷湯丸入掙含化下（一方）百部姜汁棗肉杏仁貝母乳汁白蜜煮膏化下并治癆瘵症

一風咳　葶藶子　枯礬各一ㄗ　生姜　射干各三ㄗ　甘草一錢

糊凡姜鹽湯送下

一午後咳嗽　沙參　人參　玄參　紫菀　款冬　麥門　五味　炭姜　花粉　知母　煎湯服

一肝熱咳嗽則左脇痛　黃連二ㄗ　吳茱一ㄗ　爲末糊凡溫水下每五十凡

一咳不已或痰中帶血虛人最宜服之　百合　款冬花等分爲末蜜凡臨卧淡姜湯下或含化尤妙

一如經久服湯凡二劑愈　一方湯　熟地五ㄗ　牛膝　茯苓各三ㄗ　澤瀉　左麥門一ㄗ半　附子　玄參各二ㄗ　炙草　五味各五分　姜三片煎服

又湯方 當歸二ノ 白芍 棗仁 薏苡 麥門各一ノ 茯苓二ノ 炙草五分 水煎加三七白芨茅实亂髮灰調服

一丸方 熟地四刃 故紙 枸杞 淮山 白茯苓 麥門各二刃 建左牛膝一刃 丹皮 五味 百合一半刃 附子五ノ 蜜凡 塩湯下

又方凡 生地酒炒 麥門各十刃 龍眼八刃 陳皮三刃 桔梗 甘草二刃 猪膏加薏苡八刃 貝母米炒二刃 蒲荷五ノ 研末拌匀 辰辰含化

一久嗽食入反吐 鸕鶿死乾一鉢 雄黃三文 皂角半果 炙為末以新芙蓉食下水以藥納入新吊徐徐吸煙吞下

或初吸見劇病勿碍不過二三次見愈

一咳嗽久骨蒸發熱或吐渴食減脉浮　片芩一兩水煎服即取效

一咳久失聲　方一桔梗五ㄗ甘草四ㄗ訶肉ㄗ麥門青黛各三ㄗ密丸含化下

方一桔梗二ㄗ陳皮甘草各三ㄗ枯礬二ㄗ皂角二ㄗ醋九蒸調

雄黃一錢密丸含化

一傷寒日久咳痰逆上　黃姜二兩附子三兩甘草一兩為末糊丸空心吞二丸

一治遇毒藥咳嗽不止　寺椒覘鵝悪喉䖍鮮外巴咽

底鶬椒丐虫毒奴喉黜咽䖍鶬意末歎空心吏椒叉

呬蜀揀做乚分點包雄黃味麻唆趍叉衹麻覓呬鏑
鴿黜如渚覔奴黜寺龜覔重毒蹺黜耒寺唆粘豆青
麻黜渚覔黜寺停唆粘包

一治男女人咳嗽症　巴豆粒二十　木香二ㄱ　甘草一ㄱ　神砂三ㄱ　朱砂二ㄱ為衣　如小兒加鱉甲四去巴豆菖淹湯下

一咳病老人五旬經四年餘每咳嗽十聲方止至秋身常發熱　蒸地牛膝麥門山藥茯苓續斷破故五味大附車前建左白芥百合丹皮須辨君臣佐使妙用之

一久咳氣喘　知母去毛紙炒隔　杏仁去皮尖各五ㄋ焙　水煎溫服
次以蘿蔔炒　杏仁等分為末糊丸姜湯下每五十丸若痰喘以三五丸𪏆之立效
一久患咳噫　生姜汁半合入白密一匕煎溫呷服三愈
一經年久嗽　阿膠炒人參各二為末豉湯服每三ㄋ用葱少許日三次
一治多痰咳嗽　陳皮半夏雄黄丼草吳茱烏頭川椒
火艾葉丁香火為末取白紙一張彩白礬于紙上又
篩末藥于上捲為筒空着火一頭空一頭令病人吸其煙

哮吼　一哮吼有聲卧睡不得　土硃為末米醋調服

一齁哮痰咳　貓屎燒灰砂糖湯調下

一神治哮吼臥方以下　鱟魚洗浄炙黄爲末糊丸如麻子每服一丸桑白皮湯下鱟音候介魚也雌常負雄雖波濤終不解

一方橙汁姜汁乳汁童便各一盞煯温服以愈爲度

一方古石灰經年者佳　搿个鰾爲丸每服一丸清水化下

一方母猪糞燒灰爲末用五斂皮炒黄煯湯服每五錢

一方雄黄猪胆橙汁調匀煯作丸納入橙子心化下

良卷終

138

新刊海上医宗心領全帙卷㞢五十三

行簡珍需震卷

海上懶翁黎氏纂輯

後學唐鄗武春軒奉較

目次

吐衄　便血　溺血　血崩　漏下

血病　腸風下血　臟毒　白濁　遺精

自汗　盜汗　目次終

喘急　一痰齁㕧喘　猫頭骨燒灰末酒服三錢

一七情感傷上氣喘急煩悶不食　人參梹榔沈香烏藥等分溫水磨服名四磨飲若便秘加大黄枳殼

一喘急不得卧或風痰壅盛　半夏七枚皂角甘草各一寸生姜三片絹袋盛煎服

一陽氣虛喘自汗盜汗氣短頭暈

人參五ㄗ熟附一ㄗ分四分每分以生姜十片煎温服

一喘急欲絶上氣喘息　人參爲末調韮汁飲十斗即效

一痰咳喘急　桔梗四ㄗ爲末童便半斤煎四合服

一上氣喘急　一方蓬莪朮五ㄗ酒一盞半煎八分服

一定喘丸神效　一方白礬白附各平分姜汁丸葶藶蘇子湯下如哮吼海金砂湯下

一喘急係咳嗽四肢厥冷汗出大泄　熟地三ㄗ麥門牛膝二ㄗ大附一ㄗ吳茱七分五味十粒五倍四分白朮茯苓二ㄗ煎服

一遠年喘急　桑木内蟲糞炒一斤　萊菔子炒一斤　甘草二月　作丸淡姜湯下每五十丸

一喘氣促似呼吸不止形體青削上部微熱下部虚冷　人参　白朮各二刄　熟地三刄　牛膝　麥門各一刄　便溏者並炒　附子五分　便溏者六分　加白芥六分　沉香磨服

呑酸　一腹心上攻如膿酸　呉茱一合水三盞煎服

一食已呑酸胃氣寒冷　呉茱湯泡七次焙乾　炮姜等分為末白湯下不拘辰

一湿熱呑酸之症　活石六月　甘草一月　呉茱湯炮一月　為末寒水調下

嘈雜　一久嘈心胸痞滿或嘈雜吞酸乾噫等症

香附黃連各四兩爲末神曲煳糊丸白湯下每七十丸

一嘈雜吐水　橘皮去白爲末五更安五分于掌心上舐之即睡安不眞則不應

一心腹惡氣嘈雜　艾葉搗汁飲之立效

惡心　一胃冷惡心食欲吐　白豆蔻三枚好酒一盃調溫服

一脾胃虛弱惡心不欲飲食　兎肉半斤切以葱椒漿調炙熟空心冷食

一冷痰惡心　蓽茇即蓽撥一兩爲末食前米汁服半錢

一忽惡心　白荳蔻多嚼最妙　噫膈

一五噎吐逆心膈氣滯煩悶不下食
蘆根五両剉以水三大盞煠取一盞温服
一噎膈反胃諸藥不效者阿魏一匁野外乾人糞三匁各為末五更以姜片蘸食之
一老人噎食不通　黄雌鷄肉四両茯苓二両白麪六両混沌
八豉汁煠食三五度即愈
一食八即吐由膈也　人参一両半夏一両半生姜十片水一
斗搗勺八白審三合煠服　方一山梔二十个炒煎服
一噎食　方一皮硝二匁煅過兒茶一匁射香半分為末分三服黄

酒下永除根　方一新石灰ﾉ三大黄ﾉ一酒煎服

一噎隔拒食　紅花端午日採無灰酒伴焙乾血竭如瓜子樣等分為末

酒一盃隔湯熱調徐飲初服日四分三日五分蜂蜜含下一方

一卒然食噎　橘皮ｱ一湯浸去穰焙為末熱水調服

一噦逆欲死　半夏生姜水煎服

嘔吐

一暴得吐逆不下食　生活石為末温水服每二ﾉ仍食細麵押定

一胃虛悪心嘔吐有痰　人參ｱ一水煎入竹瀝一盃姜

汁三匕温服以平為度老人尤宜

一胃寒嘔吐不䏙腐熟水穀食即嘔吐

人參丁香霍香各二刀半生姜三片煎温服

一虛寒嘔吐飮食不下　細辛半月丁香二刀半各爲末柿蒂湯下一二刀

一胃中冷吐水不下食　廉姜萑葶草豆蔲二枚高良姜半月

水煮取汁入姜汁半合和白麵作撥刀以羊肉汁煮食

一嘔噦乾嘔厥逆此熱深也　蘆根三斤童便煮服三斤愈

一食已即吐胸中有火也　大黄一月甘草半一刂水煎温服

一胃冷兼有嘔逆氣𣪠不通　丁香三个陳皮一个去白焙水煎熱服

一吐逆不止　黄丹四兩米醋拌煎乾入銚内炭火燒紅

冷定為末飯凡醋湯下每七凡

一方火麻即林麥鄉餅杵水研取汁加鹽喫之

一口吐清水　乾蘄艾煎湯啜之

一乾嘔不息　一方葛根搗汁服一斤瘥

一方茸棟汁調姜汁服半斤愈

一上氣嘔吐　白芥子為末井花水服早晚服每七凡

一心痞嘔噦　生姜八兩半夏五合水煎分二服

一嘔而胸滿　吴茱一合大棗二十枚生姜一兩人參一兩煎服日三次

一嘔逆酸水　新羊屎十枚酒煎服

一吐逆不止連日粥食湯藥不下　五靈脂爲末狗胆汁和丸酒𢘻煎磨化急將溫粥少許呷之

一治嘔逆不止鼎方男女同用肉桂白檀沉香木香末丸以霍香藥煎湯磨飲之

翻胃　一翻胃吐食一方鯉魚一尾小便浸一夕炮焦研末同米煮粥食之

一方白堊煅赤以米醋一斤淬之再煅再淬以醋盡爲度一兩研服

一方芥子橘皮以日照西壁土伴炒香爲末生姜三片棗二枚煎湯調服每二匕

一嘔吐反胃及隔間支食　半夏三月人参一月白蜜四月煎分四日服

一反胃嘔吐飲食入即吐困弱無力者

党参三月水煮熱服又以参汁入米雞子薤音戒白煮粥食

一反胃上氣食入即吐　茅根二月蘆根水煎服

一反胃悪心食藥不下　京三稜焙一月半丁香三分為末沸湯服每二分

一胃脘有死血乾燥食下則痛反胃更閉　韭汁牛乳等分辰辰呷之

一反胃轉食　一方蚯蚓糞一月木香三分大黃七分為末無根水調下每五錢

一方螺螄泥即田螄一斗水浸取泥晒乾

熱酒調下每服一錢

一反胃嘔噦　一方蘿蔔盞煎浸細細嚥之

一方田螺洗淨水養待吐出泥澄取晒半乾丸藿香下三十丸

一血風反胃　白芷一兩炒黃爲末用蒸猪血蘸末食七度見效

一脾虛反胃　白豆蔻砂仁各二兩丁香一兩陳米一斤黃土炒焦去土研末姜汁和丸姜湯下每百丸

一反胃上氣　白芥爲末酒服一錢

一久冷反胃　大附子一生姜一斤剉細研糊丸米汁化服每一丸

一反胃氣噎不通　丁香木香各二月爲末湯水磨黄土少許調末藥每服四錢

關格

一氣壅開格不通小便淋結臍下悶痛　活石一月研末水調服

一開格吐利不得脉沉手足微寒　人參附子各一射香少爲末飯凡以射爲衣燈心湯下每服七凡

呃逆

一治呃逆　傳方柹蔕洗香梹榔烏藥各等分爲末用紙包爲凡許新水汲置藥點火吸而熏之乃愈

一咳逆打呃　硫黄燒烟嗅之立止

一諸氣呃噫　橘皮去穰二刄枳壳煎服

一呃逆不止　荔枝核燒為末七个連皮白湯送下

一呃噫不止　川椒四刄炒為末糊丸醋湯下每服十丸

一胃冷久呃　沉香白豆蔻紫蘇各一刄為末服每五七分柿蒂湯

補虛　一精敗面黑勞傷　肉蓯蓉四刄水煮令爛薄切

研精猪肉分為四度下五味合米煮粥空心服

一切脾胃虛損用參朮膏以補元氣　白朮一斤人參四刄切片以流

水十五碗浸一夕桑柴煎取汁熬膏煉收之每白湯點服

一脾胃氣虛用補精髓通利耳目　蒼朮一斤米泔浸春夏五秋冬七日逐日換水日竹刀拔皮切晒石臼為末棗肉丸棗湯下每三十五丸名曰靈芝丸

一男婦面黃無血色食少嗜卧　蒼朮一斤熟地半斤炮姜一兩為末糊丸溫湯下每五十丸

一下元虛敗手足沉重夜多盜汗縱欲所致　補骨脂四兩炒香免絲四兩酒蒸胡桃一兩去皮乳香沒藥沉香各少許蜜丸鹽或酒湯下每服二三十丸自夏至至冬至每日一服

一定心補腎養血還精　破故（炒二兩）白茯苓（一兩）没藥（五ク）以無灰酒浸高一指煒化二味散末以没藥酒和丸白湯下（每服三十丸）

一精氣不固　破固青鹽等分同炒為末米汁下（每服二ク）

一補益虚損補下焦虚冷小便頻数瘦削無力

蓮寔伴酒浸一夕以猪肚一个洗淨入蓮子在內縫之煑熟取出晒乾為末山藥炒研末（酒煮糊丸酒温下每服五十丸）

一補血益精　金樱子（去子削皮四兩）砂仁（二兩炒為末蜜丸温酒下每五十丸）

一補陰丸　龜甲（酒炙）熟地（酒蒸各六兩）黄栢知母（酒炒各四兩）為

末猪髓和凡白酒送下每服百凡

一補益虚弱烏雄鷄一隻八五味子煮爛食或以五味淹炙食之亦可

一脾胃弱乏人瘦黄瘦 黄雌鷄肉五斤白麵七斤切肉混一下五味煮食之

一精血耗涸耳聾口渴腰痛白濁上燥下寒不受峻補者 鹿茸酒蒸 當飯酒浸焙各一斤為末烏梅肉煮膏凡米汁下每服五十凡

一食後喜睡此脾虚也 鹿角三刃燒末人参一斤為末姜湯下每一匕日三服

一人眈睡卧 楮葉多紙郞枝晒乾為末湯服一二錢

一令人少睡益氣力通神明　鹿角屑十两生為末酒下每二ㄅ附三月共

一脾胃虛弱不思飲食　人參末四两生姜半斤取汁白蜜十两銅堝熬膏米汁調下每服一匙

一大人羸瘦　炙草三两每旦以小便煮三四沸服之

一男女脾虛腹脹食不消化面上黑點　乾柿三斤即紅柿糟酥一斤白蜜半斤以酥蜜煎勻下柿煮十餘沸用不津器貯之空心食三五枚　一男婦諸虛不足煩悸消渴

面色痿黄不能飲食或先渴而後瘡癤或先癰疽而後

發渴　黃芪（用軟者六月一半焙一半鹽水浸飯上蒸三四次）粉草（一月一半生用一半炙）各爲末白湯下每二錢早午服

一腎虛氣弱舌啞不能言足廢不能行　熟地巴戟山茱肉蓯蓉（酒洗）石斛大附（五味茯苓遠志石菖蒲官桂麥門各平分薄荷少許姜棗煎服）

虛癆

一骨蒸癆病外寒內熱附骨而蒸其根臟腑之間必因患後得之骨肉日消飲（食無味或皮燥而無光蒸盛之長四肢漸瘦足趺腫起）

石羔（煆半月研）加乳粉水調服每一匙日二服量虛寔治

一骨蒸虛癆極面腫垢黑脊痛不能久立氣血衰敗髮落齒枯甚則喜睡也

鹿角屑二兩 牛膝一兩半酒浸焙 為末密丸鹽酒下每五十丸

一男女虛癆凡五癆七傷下元久冷及一切風病四肢疼痛

補骨脂一斤酒浸一夕曬乾却用烏麻油一斤和炒令麻聲絶

只取補骨為末醋煮麪糊丸空心酒鹽湯下每服三十丸

一虛癆寒熱肢體倦痛不拘男婦 青蒿寔以小便浸

三日曬乾為末烏梅煎湯下每服二錢

一虛癆苦渴骨節煩熱或寒 桑白皮 枸杞根即地骨皮

各五斤麥冬二斤仁小麥二斤仁水煮至麥熟去滓每服一斤渴飲

一虛勞煩熱及大病與骨蒸煩熱

地骨皮二兩防風一兩炙草半兩每用五錢生姜五片水煎服

一五勞七傷陽虛無力羊腎一對肉蓯蓉一兩酒浸一夕去皮作羹下塩葱五味食之

一方兼治腰脚疼痛羊腎三對羊肉半斤葱一莖杞葉一斤

同五味白米煮粥食之見效

一五勞七傷虛冷者羊肉一腿密盖煮爛絞汁服并肉食之

一冷癆食減漸至黑瘦桃仁五百个吳茱三兩炒將桃仁

去皮即漸加微煙起乘熱投入餅內封固勿令泄氣

每日温酒下桃仁二十粒

一虚勞盗汗煩熱口乾　青蒿𠆤取汁熬膏入人參麥

門末各一刄熬至可丸爲凡米汁下每服二十凡

一傳尸癆注及癆虫　川椒紅色者去子及合口以黄

紙二重隔炒出汗放地上以炒盆盖定炭火瘵遮四

邊約一辰許爲末其売𢇁老酒浸丸塩湯下每服四

十丸服至二斤吐虫如蛇而安　一腎冷塩湯下

一如諸痺肉桂湯下　一腰痛茴香湯下
一骨蒸傳尸　羊肉大拳大猪藏皂莢一个炙無灰酒一斤銅鐺猪五沸去滓入黑錫丹一兩令病人先喫肉服汁一合當吐虫如馬尾爲效
一骨蒸久冷　羊肉一斤山藥一斤各爛炙如泥下米猪粥食
一冷癆久病　茅香花乾蔭勇艾葉四兩燒研飯凡初以蛇床湯下二十凡至三十凡微吐不妨後用大棗湯下
一虛癆發熱　黨參銀丹柴胡各二兩生姜三兩煎湯温服以愈爲度

一虛勞客熱　麥門冬煎服

一熱勞如燎　地骨皮三兩柴胡一兩為末麥冬湯下每服二匁

一急勞咳嗽煩熱　桃仁三兩猪肝一枚童便五斤煮乾搗爛丸溫水下每三十丸

一虛勞溺精　一方鹿膠二兩白酒調服　一方新韮子二斤十月霜後採之好酒用浸一夕明日向南杵爛溫酒下每服一匙

一肺勞咳嗽　雌黃一兩八尾合置地上以土培之厚二寸以炭一斤龕定煆三分去一退火出毒為末糖酥丸每空心杏仁湯下每服三丸

一男婦勞瘦　青蒿剉細水三斤小便五斤煎去滓熬膏丸臨卧溫酒吞下十丸

一癆氣欲絕　麥冬一兩炙草一兩剛米半合棗二枚竹葉十五片煎分三服

一虛癆體痛　天門爲末酒服每一匙忌食鯉魚

一虛癆口乾　羊脂如鷄卵大酒半斤棗七枚浸七日服

一虛癆瘦弱　黑牛髓地黃汁白蜜等分煎服

一癆損續絕　鹿筋日煑食之

一治癆瘵　黑猫肝一具生晒研末每朔望五更酒調服

咳血

一咳嗽濃血咽乾乃虛中有熱不可用凉藥

好芪四兩甘草一兩爲末湯水服每二錢

一喘咳嗽血與喘急吐血脉無力者　人參一兩為末鷄子青調五更初服三錢便睡去枕仰卧只一服愈年久者再服咯血服只一兩愈

一飲酒過度熱欝胸膈以致吐衂　黃連葛花各四兩末黃少許熬膏凡或煎飲亦可

一咳嗽唾血勞瘦骨蒸日晚寒熱　白粥入生地汁攪勻空心服每三合

一咳嗽吐血與吐血咳嗽　紫菀五味炒為末蜜凡每次含化一二凡

一痨瘵咳血及諸失血　田黿煮取肉和葱漿煮食此乃補陰降火主治虛劳失血寒熱等症如神

一痰咳帯血　欵冬花百合蒸焙等分爲末每服一丸姜湯送下

一咳嗽吐血　一方人參乳香神砂等分爲末棗肉丸白湯下日每一丸

一方桑皮米泔浸三夕去黄皮切小入糯米焙乾四兩人參黄芪䓋羅麵各一兩百合一勺各爲末每五十丸水丸茅根湯下

吐血

一吐血下血因七情所感酒色内傷氣血妄行口鼻俱出心肺脉弱破血如湧泉須臾不救人參焙栢葉炒荊穗燒各五錢爲末以二錢入影蘿麵二錢新汲水調稀糊啜之一服立愈

一虚勞吐血甚者其人困倦法當補陽生陰

人參一刄五棗五枚煎服熏睡即滅後當隨宜調理

一吐血瀉血心腹刺痛者　伏龍肝多年煙壁土等分

爲末每用五钱水煎澄清空心服白粥食補之

一吐血經日點滴不止者　金墨調生地汁服之

一吐血與下血及婦人漏下血　黄芩三刄水煎温服

一忽然吐出一二口或心衂或内崩　熏艾三團煎服或燒灰服二刀

一吐血與腹痛下血　桂心枸杞根子皮共爲末水調服

吐血

一血妄入胃涌吐不止　五靈脂一兩黃芪半兩為末新汲水下每服二錢

一吐血及衄血九竅出血　龍骨為末吹入鼻中

一吐血不止似鵝鴨肝　皁角桔梗為末酒調服

一吐血見鼻紅色者　人溺姜汁和勻服一斤

一大人小兒吐血　阿膠炒蛤粉各一兩神砂少許為末藕節汁吞調服

一吐血嘔血　五靈脂一兩蘆薈二錢研末水丸每服以漿水化下二三丸

一吐血唾血　蒲黃炒末二兩冷水或溫服每二錢

一吐血刺痛　大黃一兩散以生地汁一合水半盞煎沸服每二錢

一內熱吐血　青黛二ㄗ新汲水調服

一吐血與下血　地黃汁六合煎沸入牛皮一片待化入姜汁半盞分二服便止或微轉一行不妨

一氣鬱吐血　香附為末童便調硃砂蛤粉等分末服

一吐血與血彙　鐺下墨研末酒調或溫水服

一吐血不止　一方白鷄冠花醋浸煮七次　貝母炮為末白茅根搗汁調服

一方鱉甲蛤粉各一兩炒黃為末阿膠蒲黃生地煎調服

一吐血損肺　石鍾乳煉成粉糯米湯下每服二錢

一卒暴吐血　石灰于刀上燒研新汲水調服二錢

咯血

一切咯血方一栢葉晒乾爲末米汁下三錢

一方鍋底墨炒過研井花水調服二錢連進三服

一方白芍一兩犀角二錢蓮葉焙乾並爲末米汁調服以止爲度

一肺破咯血　香附末米汁下每服二錢日二次

一治咯衂吐下等症方卧荷葉黄芩白芍等分爲末磨犀角汁調服

衂血

一衂血不止眩冒欲死　金墨磨汁生地汁各一斤調服

一病後久勞作衂　牡礪十分石羔五分爲末酒服每一匙

一衂血一月不止　羊血新刺熱服即止

一方以栢葉榴花為末吹鼻中　一衂血無辰

茜根艾葉各一兩　烏梅肉五分為末蜜丸烏梅湯下每三十丸

一衂血不止　一方青蒿蒼耳莖車前草搗汁服

一方百草霜炒　當歸貝母並焙茅根共為末米泔調下加香需

一方梔子浮萍為末吹之　一方以所出血調白芷末塗山根立止

一大衂不止口耳俱出　阿膠炒蒲黃各半兩　生地汁一合

水一盞煎溫服外急以帛繫兩乳

一鼻衄不止方　胼香墨磨臘間酒服外用山梔炒黑為末吹入即止

吐衄　一吐衄血及傷酒色以致妄行但聲未失

百草霜用鄉外人家者為末糯粟湯服每二錢

一因大驚吐衄并九竅出血　以井水花噴面上立止

一吐衄及便血崩中者　積雪草即萎䔲　當飯蒲黃黄芩

黄連炒並生地酒洗陳槐花炒各一兩煎服如血出上部加藕

汁少一血出下部加地榆一錢

一口鼻出血如湧泉因酒色太過　荆芥燒研用陳皮湯下

一衄血及吐血下血・桔梗犀角共爲末水服每一匕日四次

一方用四物湯加三七五分

一吐衄交作　土硃一両煅醋碎伏龍肝共爲末新汲滷汁和白蜜服之

一衄血不止　欝金末一両井花水服二錢甚者再服

便血

一大便出血　金墨末二両阿膠化湯調服熱多尤宜

一積熱下血此由腸胃積熱或由酒毒下血腹痛作渴脉數　黄連四両分四分一生用一炒一炮一水浸　黄芩一両防風一両各爲末糊丸米泔浸枳壳水送下每服五十丸冬月加酒蒸大黄一両

一大便下血不止　荆芥炒末米汁服二ㄅ婦人酒下或伴麪混食之亦可

一諸般下血　香附小便浸一日米醋伴炒　雄黒豆紫小者　皂角湯浸炒蕪去皮共為末猪脂和凡陳米湯下

一糞後下血　艾葉生姜煎汁服三合

一大小便血　劉寄奴核昧㕴尋皷坦為末茶湯空心服二銭

一瀉血不止　木賊五銭煎湯服日二次

一下血虚寒　蕪附一枚生姜半二ㄅ白礬二ㄅ黒豆百粒煎服

一下血茂篤不可救者　絲瓜一个燒存性槐花減半為末米汁服二ㄅ立效

一下血止後但覺丹田元氣虚乏腰膝沉重少力

桑寄生爲末白湯服每二錢不拘辰

一下血遠年不止　卷栢地榆焙等分每用一両水一碗煎数十沸通日服之

溺血

一尿血及吐血與耳鼻出血　生地汁半斤姜汁半合白蜜一合和服

一小便見出血　一方玄胡荆芥砂仁等分爲末糯米湯下三ヶ日三

一方茅根香附地榆等分煎湯先服湯三五呷服藥盡未見效宜再服

一方益母草車前草擣汁三斤調服

一卒然尿血不止　龍胆草一把水煠熬分五度服

一尿血不定　鬱金爲末一一月葱白一把水煎温服日三度

一男婦尿血　龍骨爲末水調服每一匙

血崩

一血崩不止諸藥不效　觧杏仁去黄皮燒爲末空心酒服每三匀

一崩中下血小腹痛甚　芍藥一月炒黄栢藥一月好酒五

合水煎服或爲末酒下亦可

一下血血崩或如五色漏帶　香附炒焦爲末酒服二匀

昏迷甚者加樓灰（即陛下）米汁下前藥三錢

一婦人崩中連日不止　蘄艾一把乾姜一ク焙取汁入阿膠炒末半月化分三服

一崩中下血晝夜不止　川芎一月清油一盃生地汁三合煎分服

一崩中下血由因熱也　黄芩為末每服一ク霹靂酒下
以秤錘燒赤淬酒是也　許學士云崩中多用止血及補血此方乃治陽乘陰所謂天暑地熱經水溢也

一女子血崩　貫衆半月煎溫服（薑蕷）

一崩中垂危　羊肉二斤水二斗月煎三斤八生地一斤乾姜當飯三（分四服）

一婦人血崩　一方京墨燒煙盡乾漆燒三ㄗ靈脂如豆大為末酒調下

一方防風炙赤蒲黃炒黑砂仁尾炒益智仁炒桂心炒共研末米汁調下

一方三七研酒調二分八四物湯服　一方百草霜二錢狗胆

汁為凡當飯湯送下　一治瘀血血崩方

一方血餘蘗炒黃煎服　一方椶椰葉生用手研飲之

瀉下血

一崩中瀉下青黃赤白使人無子　金墨一ㄗ百蕃為末酒水調下三ㄗ

一婦人血瀉不止　槐花炒焦伏龍肝阿膠蚕砂並炒為末酒調服二三ㄗ

一女人漏血　亂髮燒鱉甲醋炙共研末酒調服每一匕日二次

血病　一九竅出血　荊芥酒煎通口服之立效

一婦人血禁失音　鑰匙以生姜醋童便同煎服弱人亦可

一諸失血症　紫蘇不限多少水煮去滓熬膏赤豆爲

末和凡酒下三十五凡

一膚出汗血　人中白新瓦焙乾郁李仁去皮燒研一ク射香少許酒調下

一諸竅出血并舌上出血　亂髮灰水服一匕日三次

一治舌上出血　槐花炒研點擦舌上卧方

一失血喘急痰嘔中滿宿瘀及吐血下血崩中帶下

半夏搗末以姜汁和麪包煨黃研末糊丸白湯送下每三十丸

腸風臟毒　百草霜末〢五以米湯調露一宿早服

一年久腸風　石燕磨水常服

一腸風下血積年不止虛弱者　綠礬四兩入砂堝新瓦

盖塩泥封固青塩硫黃各一兩共入煅赤取去火毒研

入附子末一兩米汁或酒化下每服三十丸

一腸風瀉血　黃芪黃連等分爲末糊丸米汁服每廿丸

一方野猪外腎焼研末服　一久病腸風痛癢不止
地楡四两炙草三月為末水一盞八砂仁四枚煎分三服
一大腸下血　白鶏冠花炒人髮焼栢葉為末酒調服每二匁
一大腸下血因酒毒者　大田螺五个焼殻白肉乾研末酒調下毎日一服
一腸風下血　一方土硃煅醋淬研白湯下　一方蒼朮皂
角浸一夕焙研丸服　一方白芷槐花枳殻焼等分為末新汲水或米汁下毎二匁
一方木香黄連等分為末入猪大腸内繋定煮爛搗為丸服
一驗秘傳方　一方槐花八匁烏梅三个生地八匁歸頭一匁芥穗

枳殼白芍川芎地榆各八分久者加人參白朮防風各八分水煎服
一方用鯽魚生一尾去腸留鱗八五倍子末填滿泥封煨存性為末酒下每一錢或飯凡亦可
一方半月花俗號捻堵炒煎服
一方淮山槐角茯苓各三錢共為末入猪大腸煮熟食之連服三次即愈

赤白濁

一白濁　螺螄仔一連殼炒熟入酒三碗煮挑肉食以此酒下數次即下
一小便渾濁如精狀　木香沒藥當歸等分為末以棘心汁和凡塩湯送下
一心虛來滑及二濁　益智仁白朮白茯苓等分為末白湯送下每二刀

一白濁腹滿不拘男婦　益智鹽炒　厚朴姜炒　姜等分　姜一片棗一枚煎服

一腎虛及兩脇背穿痛　五味一斤炒　赤末醋糊凡每醋湯下三十凡

一白濁頻數旋面如油澄下如膏乃真元不足下焦虛寒

萆薢菖蒲烏藥等分爲末鹽水服每四錢

一小便淋濁由心腎氣虛精神不守或夢遺白濁白茯苓赤苓等分爲末

水彩以地黃汁仝酒熬膏凡鹽湯下

一白濁遺精陽盛陰虛故精泄也　蛤粉煅一斤　黃栢新瓦炒一斤

爲末水丸酒下每一凡日二服　一蓋一餁補腎陰一餁降心火

一婦人白濁滑數虛冷者　鹿角屑炒黃爲末酒服二乛每

一小便白濁因心腎不足思想無窮所致　黃連白茯苓等分爲末酒糊丸煎補骨脂湯下每三十丸日三服

一虛勞白濁　海螵蛸羊骨爲末酒服每一匕或用木通蘇木白力煎湯送下·一赤白濁淋　大黃末每服六分鷄子一个破頂入藥調勻蒸熟食三服愈

一方　一鷄卵開一孔去白入硫黃末蒸空心服·

一小便赤濁　益智茯神各二両遠志甘草水浸半月爲末酒糊

凡姜湯下五十凡　一匙方　白鷄冠花升麻木通甘草酒煎服

一腎虚白濁　蓯蓉鹿茸山藥茯苓等分為末糊凡棗湯下每三十凡

一氣虚白濁　黃芪塩炒半両白茯苓一両為末白湯下每一匁

一滴精白濁　白塩一両入小壜封固煅一日出火毒白

茯苓山藥各二両為末棗肉和凡每棗湯下卅凡此辨腎兩宜也

一治延久白濁一匙方以下　黃栢塩酒炒半匁　滑石三両　牡蠣二両半

石蓮八分車前一匁海金砂一匁五分甘草五分煎服如不見效

宜四物加黃芪麥芽知母益智尤妙

一治婦人血白不論新久　白後葉多　白童男樓搾鏈

霍香葉多　白龍即陳久石灰也　白茯苓各一ㄱ　水煎服

遺精

一思慮太過心腎虛損真陽不固遺瀝白濁多寐頻泄者

免絲子五兩　白茯苓三兩　石蓮肉一斤　爲末酒糊丸每五十丸鹽湯下

一遺精白濁心虛不寧　蓮藕節蓮鬚芡寔山藥白茯

苓茯神各二兩　爲末用金櫻子一斤搗細水煎熬膏丸米汁下

一夢中遺精　半夏二兩切破合猪苓切片二兩同炒黃去

苓入煆牡礪一刃山藥糊丸茯苓湯下每三十丸

一方狗頭鼻梁骨燒研卧辰酒下一刀 一方覆盆子炒黄爲山藥水爲湯下

一心虚遺精 猪心一个批片梢連以彩過硃砂末摻入線縛水煮熟食 一遺精白濁 秋石一刃白茯苓五刀

兔絲炒五刀共爲末百沸湯一盞井花水一盞煏糊丸温酒湯下每百丸

一夢遺食減 白色苦參三刃白朮五刃牡礪四刃各爲末以雄猪肚一具洗淨砂鍋煏爛石臼擣藥乾漆汁丸米湯下每服四十丸久服身肥進食而止

一腎虚遺精　五味子一斤水浸去核洗取餘味共八砂

碣攄過入冬蜜二斤火熬成膏做五日出火始空心白湯下每服一二匕

一夢遺溺白　韮子每日空心生吞一二十粒塩湯下

一自遺遺精　石蓮肉龍骨益智白茯苓等分為末空

心米汁服每二十丸　一虚滑遺精　茯苓砂仁各

一兩末入塩二錢羊肉一片摻藥炙食酒下

一勞心夢洩　龍骨遠志等分蜜丸硃砂為衣蓮子煎湯調下每三十丸

一睡即遺精　龍骨四分韮子五合各為末空心酒服每一匙

一陰虚夢泄　鱉甲燒研每用一銭酒半盞小便半盞

葱白七寸煎去葱午辰服出汗為度

一夢遺便溏　牡礪煅醋糊丸米汁下每三十丸服日二

一遺精盗汗　鹿角霜二匁龍骨炒牡礪煅各一匁為末酒糊

丸塩湯調下三十丸　一夢寐遺精　乳香一塊如

母指大卧辰含嚥至三更細嚼下

一治夢遺百發百験　験方人參五ゾ蓮肉五ゾ五分石菖蒲栢

子仁各五分　遠志茯神各七分　龍骨五ゾ五分　蓮鬚三ゾ水煎空心服

房室

一治人素有狂病已愈又遇房復作由心火熾而腎水衰心腎不交也　丹參玄參各一ノ党參二ノ當歸一ノ半蓮肉二ノ麥門一ノ半炙草五分茯苓二ノ五味七ノ水粒棗仁二煎温服

一治遇房大發寒熱　服平胃倍加蒼术厚朴

一方取此人手十瓜甲足十瓜甲散末酒下即愈

癲狂　一癲狂神驗方　全蝎十个茸𣗩多取汁獨菓子三十粒半生半熟糯米包子男七女九扇紙一大張煎温服

以瘥爲度後服清神湯解 大皮藤一名南蕪藤 倭蘇蘇 金剛葉葛
根野榆葉扁豆優曇葉罌蕚充 水煎服
一治狂病 傳方 石信火煆 少頃置于地上見藥摻于地黃
色者爲度 二分 神砂 硃砂各十分 雄黃雌黃各七分 爲末糊
凡如黑豆大每服男七女九八蕉果吞下吐出惡血 宜食青豆粥以解其毒乃愈
一治癲狂及傷寒壞症譫言亂語症 卧方 遠志菖蒲各二匁
茯苓三匁 人參一匁 加琥珀鬱金射香牛黃各一ㄋ客凡硃砂 爲衣米汁調下
一治婦人鬱而癲狂驚癇 白礬三匁 鬱金七匁 麵糊凡每

服三钱滚湯下昔有婦人因驚憂痰血迷心竅成此症数年後遇一異人授此方服二料愈

一治七情以致癲狂歌舞或笑或哭無㞗

白术白芍當歸棗仁各三ㄗ遠志石菖蒲各一ㄗ半梔子童便炒黑柴胡牡丹各二ㄗ甘草一ㄗ水煎服

一治狂邪不治水火白舌等症　生石羔六ㄗ生甘草一ㄗ硃砂二ㄗ研末用車前稟搗取自然汁送下每二钱

動驚　一治動驚神方　卧虎頭骨四ㄗ忌鉄斷髮燒灰一ㄗ硼硝一ㄗ欝金射干三柰姜活獨活白疾藜菖蒲川芎烏

頭各一𠄎射香五𠃌乳香沒藥各一𠄎阿魏二𠃌鹿茸一𠃌硃砂

神砂各一𠃌爲末糊凡雄黄爲衣如芡子大每服一凡

冷酒湯下熱醋下磨飲二分塗痛處一分或大感服

三凡芙蕖下小感茶下喘急油湯下

一治驚癇每月一發或三四月一發二服全愈

傳方枯木三𠄎梹榔草果各五𠃌水四鉢煎取半分服

一治欝冒神昏之症自卯至申則發神昏不省呼亦不試

先服田陽湯加五味一湯後服人參三白湯三服全愈

自汗　一病後虚汗及目中流汁 杜仲牡礪等分為末臥 辰水服一匕未止再服

一出汗如水滴瘦削耳聾　京三稜 米醋浸夏四冬六 為末醋湯下每二匕

一別處無汗心孔有汗思多汗亦多此心血虚宜補養

心血　茯苓為末艾湯調服二錢

一病後虚汗由傷寒虚弱日夜汗出不止口乾心燥

黄雄鷄一隻麻黄根一两水煮取汁入蓯蓉酒浸一两牡礪煅

粉二两猪取一盞半一日服盡　一方熟地五两煎服

一諸虚自汗夜卧即甚久至枯瘦　炙芪麻黄根各一两牡

礪米泔浸 煅過為末入小麥百粒水煎服每五錢

一心悶汗出不識人　井花水和容飲之

一卒汗不止　牛羊脂溫酒頻化食之

一風熱汗出　雲母粟(羿癸 荏)研末水和服三錢

一老少虛汗　白朮五錢小麥一撮(煮乾去麥)為末黄芪湯下每服一ㄅ

一虛汗無度：蔴黄根黄芪等分為末糊凡(浮麥湯下)每服百凡

一自汗不止：白朮為末米汁調服　一方欝金何首烏五倍子共為末津調封臍中

盜汗

一婦人小兒盜汗及傷寒後盜汗不止　龍胆草研末猪胆汁點入温酒調服每一錢

一小兒盜汗身熱　龍胆草防風韮根水煎服

一方棗仁人參茯苓等分為末米汁服每一錢日三次

一脾虛盜汗　白朮四兩切片一兩同牡蠣炒一兩同石斛炒二兩同麥炒共為末米湯調下三錢

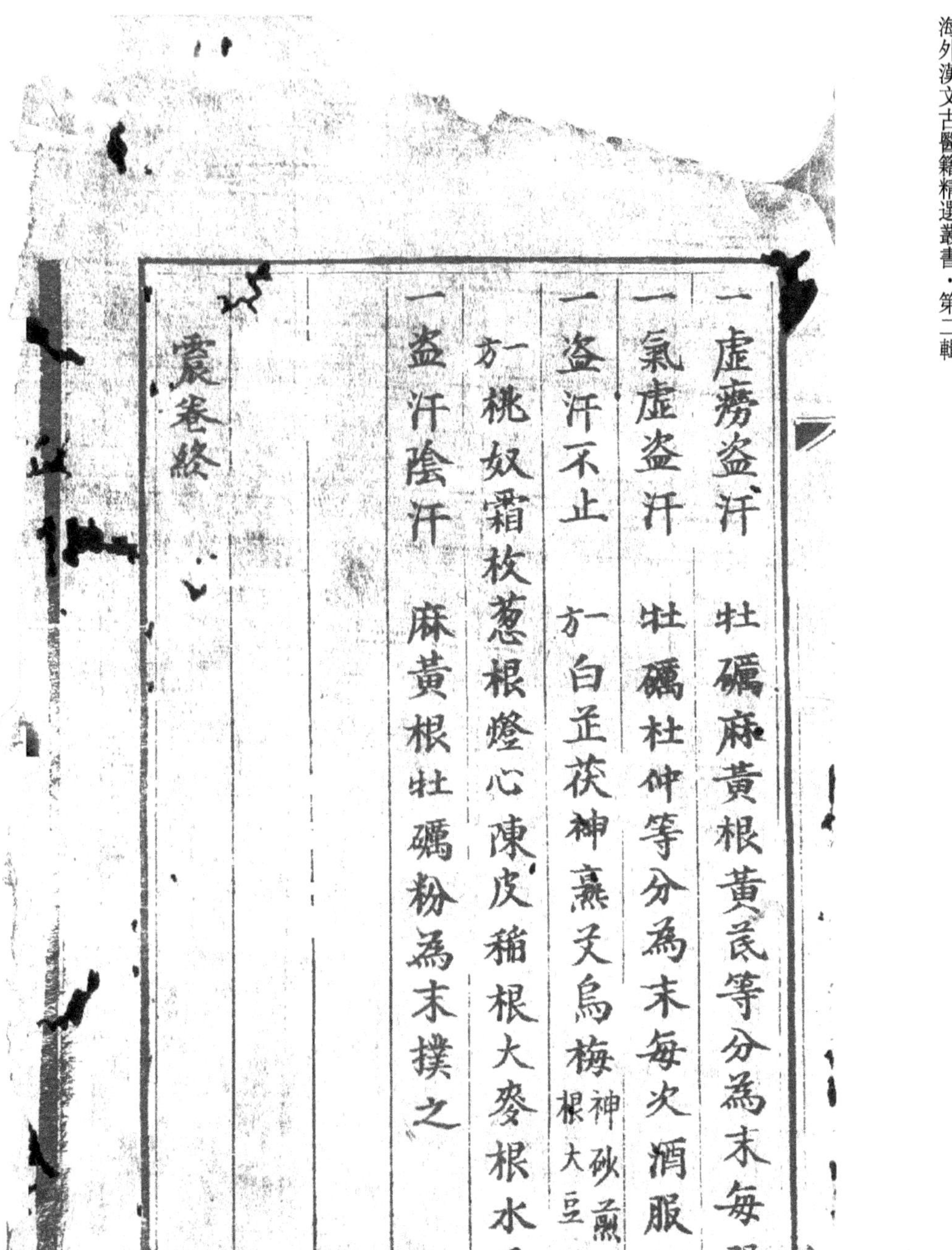

一虛痨盜汗　牡礪麻黄根黄芪等分爲末每服二錢

一氣虛盜汗　牡礪杜仲等分爲末每次酒服一匙

一盜汗不止　方一白芷茯神羸叉烏梅神砂煎加麻黄根大豆豉温服

方一桃奴霜枚葱根燈心陳皮稲根大麥根水煎服

一盜汗陰汗　麻黄根牡礪粉爲末撲之

震巻終

R.1167

新鐫海上醫宗心領全帙卷之五十四

行簡珍需巽卷

目次

目次終

板留北寧省慈山府武江縣大壯社同人寺

行簡珍需巽卷

海上懶翁黎氏纂輯

後學唐郿武春軒奉較

消渴

一治諸虛不足煩渴或先渴後瘡或先發癰毒而後渴

炙芪六刃 甘草一刃 棗一枚煎服

一熱渴煩悶 地漿一盞即若坦飲之

又方黃冊一刃新汲水服以蕎麥粥食壓之

一消渴尿多　黄連爲末蜜丸　又方　竹瀝煎津飲數日效
又方　黄連一斤　酒半斤　猪一寺　晒乾爲末丸服
一消渴累年不愈　香附一両　白茯半両　爲末飯汁每服二刂
又方　紫蘇子三両　爲末桑皮湯服　一消渴不止下元虛
損　牛膝五両　爲末　生地汁五斤　浸曝盡汁爲度　蜜丸酒下
一消渴不止飲水日至一石小便赤澁　浮萍擣汁服　又方
乾浮萍栝蔞根等分散末乳汁和丸空心服　又方　黑豆置牛
胆中陰乾百日呑盡即瘥　又方　糯米三合蜜一合水猪汁服

一消渴引飲　蘿蔔三枚洗切晒乾爲末煎猪肉湯下

又方 人參爲末鷄子青心調服日三四次 又方 人參生栝蔞根等分散末蜜丸麥冬湯下 又方 人參一月 葛粉二月 以猪脂并蜜入藥熬膏含嚥 又方 白芍甘草等分水煎服一切酒麪炙煿並忌

一消渴飲水　五灵脂　黑豆去皮等分散末　冬瓜皮湯下 又方 用八味丸去附加五味服即止

又方 臘月或端午日用牡礪黄土泥封固火煅赤取出研末活鯽魚煎湯調下 又方 蜜佗僧三月 爲末糊丸如梧子以蚕虫

鹽湯或酒下五凡至三十凡乃止見水惡心爲度惡心外以乾物壓之日後自安

一腎虛消渴難治者　黑豆炒　天花粉等分爲末糊凡用黑豆湯下

一消渴骨蒸　白冬瓜一枚去穰入黃連末填滿置甕中待瓜消盡取研凡煎冬瓜湯下每三四十凡

一消渴有虫此症人所罕知　苦楝根白皮一握切焙入麝香少許水煎空心服雖困頓不妨虫下渴自止

一下虛消渴此上寔下虛心火炎腎水虛不能交濟而成消渴　茯苓一斤黃連一斤爲

末煎天花粉作糊丸溫湯下每十五丸

一消渴飲水不止小便数者　田螺五斤水浸一夜渴即飲

之每日一換又方黄雌鷄煮汁冷飲并作羹食肉

一消渴心脾中熱下焦虛冷小便多者　牛羊乳飲每数

合即止　○憂鬱　一憂鬱不伸胸膈不寬　貝母去心

姜汁炒爲末以姜汁作糊丸征士鎖甲煎湯每下七十丸

一心氣鬱結　羊心一枚曲曲紅花浸水一盞入塩少許

徐徐塗心上炙熟食之令心安多喜　○不寐附多眠

一徹夜不合眼　燈心草煎湯代茶飲之　一目不得眠此衛氣行于陽陽氣滿不得入于陰陰氣虛故不眠　流水千里者八斤揚之取清上五斤煮飲以葦薪大沸入秫米一斤音術即糯米也半夏五合煮飲汁一盃薪煮一盃則臥汗出而止久者三飲而止

一煩悶不眠　大棗四十枚葱白七莖水煎頓服

一胆虛不眠心多驚悸　棗仁一兩參一兩神砂半兩乳香二[illegible]爲末竹葉湯下　一振悸不眠　棗仁炒二斤茯苓二兩朮二兩參二兩草二兩生姜六兩水煎服　一骨蒸不眠心煩

棗仁研和水取汁粳米一合煮粥入地黄汁一合再煮勻飲之
一胆虛不眠　馬頭骨灰一兩乳香一兩棗仁二兩爲末溫酒下
一多睡及不睡　棗仁人參白茯苓各等分水煎服如多睡
冷服不睡熱服　一胆熱多眠　馬頭骨灰鐵粉各一兩
朱砂半兩龍腦半分末蜜丸竹葉湯下三十丸　一引睡男女同治方驗先
以天仙子炒散一兩人參送下即定後服天仙子三十粒
炒研糯米穗九莖敗扇紙一大張敗掃幕地膚煎服以
瘥爲度後服安神鎮心湯茯苓遠至山梔炒黑天麻琥珀珍珠神砂雄黄四味磨餘煎服

或用安魂定魄方黄連 茯神 遠志 山梔 水煎 八硃砂末 即愈 或間服歸脾亦可

健忘　一心昏多忘者牛馬猪雞各取心晒乾爲末 酒服一匕日三服可聞一知十

一方加犬心　一心昏乱多忘善誤　遠志去心 丁酉日

用蜜自到市買之着巾中还爲末服勿令人知

一健忘久服益智聰明白竜骨遠志等分爲 末食後酒服日三度

一健忘驚悸　虎骨酥炙 龍骨遠志等分爲末生姜湯下 日三 久服肽聰慧

怔忡　一驚悸怔忡不寐茯神二两 沉香五錢 爲末白湯下

又方 蜜佗僧研末每白 湯下少許　一怔忡自汗心氣 不足也 參歸各半两

豶猪腰子一个水煮取腰子切細入參歸煎空心腰子以汁送下其滓焙乾爲末以山藥末作糊丸如菉豆大食遠棗湯服每五十丸二服即愈

一嘔噦眩悸穀不得下

半夏生姜各半斤茯苓三兩切片水煎溫服

一心虛驚怵羸瘦

牡荊瀝即楼覔音浩二斤水煎至一斤分四服日三夜一

一男女怯症男用女童便女用男童便去先後取中日進二次乾燒餅壓之月餘愈

傷食

一冷熱不調飲食過傷腹痛欲絶

大黃巴豆去皮油乾姜等分為末糊丸如桐子每服六丸以利為度

行簡巽卷　　傷食

一食菓脹滿桂枝飲丸如菓豆白湯服每服五六丸　一食肉不消还飲本汁即消或食本物脳亦消　一食積痰火石羔大煅醋糊丸白湯下每四五十丸　一胸膈食積　牽牛一両巴豆三个為末丸白湯下每二三十丸　一多食易饑　菉豆黃麥糯米各一斤蜡熬飲三三五日見效　一服食不飢　石連肉蜡熬去心為末日服三十丸　一壯脾進食療痞滿并暑瀉　神曲蒼朮等分為末糊丸每服五十丸若有冷加乾姜或脾胃虛胸腹脹痞連年累月食減嗜卧口不知味加麥芽三両炮姜四両白朮陳皮各一両烏梅四両蜜丸飲汁服每五十丸　一快膈進食　麥芽四両神曲二両白朮陳皮各一両為糊丸人參湯下每三十五丸

一諸肉有毒忌食　牛獨肝猪羊心肝有孔馬肝犬有懸蹄六畜自死首北向并口不閉　一馬恶凡治食積逆氣及諸虚病後積在腸胃大效　驗方　龍舌樹精白粞音西碎米也　或黄姜代亦可研末調龍精凡酒下見瀉便快若瀉甚以白朮粉和水飲之又解或用理中湯亦可

積聚　一積塊黄腫神砂堝年久者水恶作凡酒服每五凡　一癥瘕堅積臌害灰即灰爐　一心腹宿癥及本得癥硃砂研末捜飯鍊以酒調服　以雄雞一隻法餓二日以此飯飼之收糞曝乾為末温酒服以愈為度

一腹脇痞塊　雄黄一两白礬一两爲末糊調膏攤貼即見效末再貼待大便數十行乃愈○一切冷氣積塊作痛硫黄焰硝各四两微炒青皮陳皮各四两爲末糊丸每空心米汁下三十丸

一癥瘕鼓脹　三稜切一石水五石煮三石去滓再煮成膏蜜器貯之每旦酒服一匕日二服

一痃癖不瘥脇下硬如石　三稜炮一两川大黄一两爲末醋熬成膏每日生姜橘皮下一匕以利下爲度

一老少痃癖不瘥往来疼痛香附南星等分爲末姜汁并糊丸姜湯下每二三十丸

一火積二便不利脹滿不食　大黄白芍各二两爲末水丸白湯下每四十丸日三以知飢爲度

一腹中痞塊　木鱉子五月用猪腰子二ケ剖開入藥在内煨熟入黄連三月糊搗凡白湯下每三十凡

一方治破塊礬顛一斤塩五月牡蠣一月石蟹三月右各味混爲一後以小堝一件下置白盞中一紙又置藥以火焙之後攀出末散以錢一銅爲一凡寒熱撥蕉下痰瘧經不調心痛栫湯下并破塊産酒湯下

一鼈瘕疼痛隐隐見皮肉痛不可忍　用蝦作羹食之

一皃桅血蝦　蒲黄三月爲末飯汁服之

一血瘕癥積　鼈甲大黄虎珀爲末酒服二丬見惡血休服

一痃瘕癥積鼈甲醋炙黄研末牛乳一合每調一匕朝々服

一心下鼈瘕　黒猫頭一个燒灰酒服一丬日三服

一癥瘕腹痛諸藥不效　人溺一服一升下血針塊二十日即出　一好食生冷口中出清水久成瘕塊羸瘦如勞　鷄屎白同白米各二合水調服即吐出如✱形

一腹中痞積癖　黄牛肉四兩切片以甩化石灰擦上蒸食積自下　一切氣塊宿冷惡病　苦參二斤童便一斗

二斤煎取六斤和糯米作酒服凡如二三年不坏腹中癖並治神效

一腹脇積塊 石灰半斤瓦炒極熱入大黄末一両炒紅入

桂末半両畧炒米醋和膏排白貼上内服消塊藥

一腹中癥塊 吴茱三斤搗和酒煮熟布裹熨痕上冷更

熨癥移走逐熨之消乃止 一積聚癥瘕或痛礙無

崑障寒熱屢驗神方 黄力根去粗皮炒黄爲末糊丸

用萸葙爲衣每服三十丸酒送下以椰葉爲茶常服

一累效凡治氣積血積食積痰積一切心腹痛皂礬制法用小缽泥封固火燒黄色為佳五[illegible]

香附炒五両 烏藥二両 浮海石火煅二両 莪朮血五両 鬱金血二両氣
五両 木香氣五両血三両 各爲末糊丸日二服每服五十丸
一血病用紅花湯下　一氣病用陳皮弁山楊葉煏湯
送下病深二剤即愈　一治諸般積聚　陳米四両以巴豆二
十一粒去皮同米炒香勿黑去豆 陳皮去白四両 爲末糊丸姜湯下每服五丸日三
一治七疝心腹痛　莪朮醋炒 南木香去皮 香附 皂礬火毛 各
九錢 鯽魚大者全取炙黃 爲末糯米糊丸空心每服三リ南木
香香附浸酒送下　一治心腹痞塊神膏　雄黃白

礬為末麪糊調膏貼塊上見效未效再貼待見便下數百片乃愈

一治諸般積及積痢房室脹積　黒丑二刃香附一刃夜明砂一刃為米醋凡每服五十凡盞水送下

一治産後痰瘧經月不調心痛積塊等症正家傳累效　黒礬一斤草菓一刃半丁香二十粒夏曷消一刃半桂五分草三刃共散末好酒三文寒熱樧楊瘧塊心痛經不調㤝湯

脹滿　一心腹堅脹痛悶欲絶　食盞五合水煎服吐下即定未吐再服

一胸滿不痛　桔梗枳殼等分

水煎溫服　一胸膈煩悶　白朮爲末水服每一匕

寒弱者宜之　一脾虛脹滿壅遏不通　白朮二兩

陳皮四兩爲末糊丸食前木香湯下三十丸　一心腹滿脹短氣

草荳蔻一兩爲末以木瓜生姜湯調服半刂

一胃寒氣滿不能傳化饑不能食　人參一刂生姜二刂

水煎雞子一枚取青心打調空心服之

一氣血脹滿　刘寄奴取穗寔爲末酒煎服三刂不

可過多致吐利　一腫滿入腹痛急　皂角去皮炙子

黄爲末酒煔沸服日三夜一　一治一切氣病痞脹
喘咳噯酸煩悶宜常服及早行山行尤宜服之能辟瘴
香附四百月　沉香十八月　砂仁四十八月　炙草一百二十月　爲末入塩
少許白湯服每一刂　一治一切氣疾心腹脹滿噎
塞噫氣呑酸痰逆嘔悪及宿酒不解　香附一斤　砂仁
八月　炙草四月　爲末白湯加塩點服或煎服亦可
一脹臓煩渇身乾黒瘦　馬鞭草乾曝勿見火酒
水同煔温服六月中旬雷鳴寺採之神效

一老幼腹脹血氣凝滯　枳殼四兩分爲四分一兩用蒼术一兩同炒一兩用蘿蔔子一兩同炒一兩用乾膝一兩同炒一兩用茴香一兩同炒去四味只用枳殼爲末四味煎汁煏糊凡飯汁下每食後五十凡此能寬腸順氣

一神仙丹治蠱病難医及産後喘急之症

食鹽三兩硇硝二兩黑礬一兩水銀四兩雲母二錢白礬五分胡椒五十粒各味同煏如造輕粉法尽三柱香爲度其服法用一分八白豚三重封固納八橙子以乾禣迮竜菜爲湯下二更服至五更下諸毒二三次以青荳粥止之輕者一

服愈重者十日外再服常服平胃二陳湯又用茋楪煮
酒早寺飲一碗半酒半水以愈爲度如煮寺用齋雜二
盘礼先師逫主剳棱不然則不成
一治臟脹神效　猪肚脾ヶ一洗淨大田蛙ヶ一全活八肚
中縛固水煮熟去蛙取肚露一夜来日用大蒜二三根
用肚食之三作全愈　一治磅塊臟脹浮腫小便不
通神效　班猫捉同置飢大便尽糞酒浸放石冷刂三大
黄刂一爲末糊凡如豆子服自一凡漸至四五凡温水送

若欲小而未小以蝸蔽葉搡與清水調盞少許大效

浮腫　一治水鼓腹大動搖水取皮膚黒　射干根搗汁服水即下 又方 赤小豆三斤 白茅根一握 水煮食豆以消為度

一水腫大便利　銀硃半兩 硫黃四兩 煆末糊丸 白湯下每三十丸

一黃腫水腫　明礬一兩 青礬一兩 白麪半斤 同炒以醋煮糊丸棗湯下每三十丸

一四肢腫滿虛弱　白朮三兩 大棗三枚 水煎溫服不拘辰

一風水浮腫　姜活以蘿蔔子同炒只取姜活為末酒服二

一酒腫虛腫　香附一斤 童便浸三日 焙末飯汁下每四五十丸

一水腫尿澁　馬蘭菜即菊頰一名虎口　黑豆小麥各一撮　水煎服五六日愈又方甘亭瀝一月大棗二十枚去核　熬膏凡服每六十丸

一切腫疾　紅花熟擣取汁服之

一通身水腫暴水風水氣水並治　香薷葉一斤　水煮爛去滓煎成膏加白朮七月和凡飯汁下

一腹大水腫小便不利　蒼耳子燒灰　葶瀝等分爲末白湯下每二刂

一通身水腫　萱草即萱萲　根葉晒乾爲末每二錢入席下塵刂半食前飯汁服

一通身浮腫　苦葶藶四月爲末棗肉丸桑皮湯下每五十丸

一方茅香草燈心木通硇硝甘拋黑丑煎服

一大腹水腫　苦葶藶二斤雌雄雞血合丸白湯下每十丸

一身面水腫　甘遂二刀研末豬腎一枚分七孔入藥濕包煨熟食之

一水腫喘急大小便不通　甘遂大戟芫花等分棗肉丸熱湯下四十丸

一腫痰喘滿　生附子一箇切片生姜十片沉香末一刀水煎冷服附雖生無妨

一水濕腫脹　白朮澤左各一月或散或丸茯苓湯下

一身面卒腫洪滿　皂角去皮炙黃一斤酒一斗煮沸每服一升一日三服

一腫滿氣急不得卧　郁李仁一合大擣末和麵作餅食入口即大便氣泄愈

一通身腫滿小便不利　猪苓五月爲末熱水服每一匕日三

一水癖水腫　黃雄雞一隻切和赤小豆一升煮熟飲汁日二夜一

一脾虛濕腫　大附子五枚藏入赤小豆半斤漫火煮熟去豆研末以薏苡仁打糊丸蘿蔔湯下每十丸

一氣水皷脹浮腫　狗肉五斤蒸熟空心食之

又方　牛肉冷用黃熱用黑蒸熟以姜醋空心食之牛乃水牛者

一水脹腫滿小便澁　水牛蹄一具去毛煮羹食之或用牛尾加醋如前食之　一面浮甚嗃鼻消之此奇方也

土狗一个輕粉二分半爲末　每嗃八少許鼻内黃水盡出

一水氣浮腫　赤小豆一斤白雄雞一隻治如前食法水煮熟食之汁飲令盡　一治浮腫等症神方　姜黃三兩炒黃歸澁一兩炒黃陳皮三兩半炒黃各爲末每服三錢用芥菜湯田蟹或海蟹煮羹忌鹽服寺以羹水送下又以羹水飲之若已消下至兩足以甘抛皮火炒爲末

飯汁下方可食鹽自後每日三度服散藥每服三錢以

酒藥 禾花蛇伍 黄力炒 黑豆炒 當歸 何首烏各五 茯苓 甘草 梔子 錦地 莵並炒各三刂 黄栢 紅花 蘇木各一刂 如女人加香附二刂 白芷二刂 人參二刂 酒浸爲湯送下使進食克氣血

一治一切浮腫驗方 硇硝 姜黄 香茅全根葉 木通各一用 四味入水煮去滓取水入硇硝再煮取一鉢每服半酒盞服盡一劑即愈服後食甘蔗三四口忌食塩鯽魚其如鹹水猪肉芥菜皆可食此藥煎貯愈久愈佳一方 土狗五六枚 若遍身全腫全用燒灰研末酒湯下若手足腫只用手足燒灰酒服下一方 大黄 陳皮 硇硝各五刂 燈心一把 水煮服

服了食甘蔗二三口　○一治男女百般水腫并胎前
產后生塊積月水不調等症 富美宋師傳 日服方 益母草一五刂
甘拋皮三刂 烏龍尾一刂 爲末飯水送每一文錢 夜服方 硇硝
白礬各一刂 丁香十个 茴三元 官桂一刂 甘草一刂 馬鞭草一刂 炒草
菓二刂 散末每夜半酒服一文錢如發熱以冷水浴之即
散之熱以椰水飲之　一治浮腫方 以下傳方茯苓皮木通車前厚樸猪苓甘草
一治濕化浮腫膀蘢症　甘遂木通甘拋膀蘢葉莫苴
燈心湯下 右用鹽硝每水服以一刂爲度每湯藥和均飲之若耗竭蜘同萎蕤鹽水喈炙食其鹽肉

魚並禁

○泄瀉　一伏暑泄瀉　活石煆一月硫黃四分爲末糊凡淡姜湯隨大小多少服　一伏暑或吐或瀉或瘥煩渴小便赤 活石煆四月藿香丁香各一月爲末米湯下　一暴泄不止　陳艾一把生姜一塊水煎熱服外以木別子母丁香各一个搗碎八臍中以水膏貼之　一忽然水瀉日夜不止　苧麻葉陰乾爲末水服忌熱物　一風寒泄瀉此風氣行於腸胃　豨薟草醋糊凡白湯下每三十凡　一中寒吐瀉　一炮姜研末粥飲服三ㄐ　一夏月冷瀉及霍亂　糊椒

研末米汁下每四十丸　一水瀉腹鳴如雷有火也　石羔火煅倉米飯丸以黃丹爲衣米汁下每二十丸　一泄瀉口渴■烏梅煎湯日飲代茶加槐花　一元臟冷泄腹痛虛極　硫黃一兩青盐二兩黃蠟化丸或酒或新汲水每五丸　一寒冷勞腸泄不止　禹餘粮四兩煅醋碎烏頭一兩水浸一夜去皮臍焙末醋糊丸食前温水下五丸　一氣虛暴泄無数腹痛不止夏月行路備急最妙硫黃二兩枯礬半兩爲末糊丸以硃砂爲衣盐湯下每十五丸　一脾虛下白此脾胃虛冷停水滯氣凝成白涕下出

硫黄一刄麪一分同炒爲末熱水化丸米汁下每五十丸
一老人泄瀉不止　枯白礬一刄　訶梨勒煨七刄半研末　米汁服之
一脾虛泄瀉　白朮土炒五刄　白芍酒炒一刄　冬月用肉豆蔻煨研末糊丸米汁下五十丸　一久瀉滑腸　白朮　茯苓各一刄　糯米二刄　為末棗肉丸服
一老人常瀉　白朮黄土炒二刄　蒼朮米汁浸炒五刄　茯苓一刄　研末糊丸米汁下七八十丸　一腹脹忽瀉日夜不止此氣脫也
益智仁二刄　水煎服之　一老人虛瀉　肉蔻煨二刄　乳香一刄　研末陳米糊丸米汁下每五六十丸　一脾腎虛瀉　破固

半斤炒肉蔻生四用木香二用棗肉丸米汁下每五六十丸

一火瀉不止　肉蔻煨二用木香一用半棗肉丸米汁下每四五十丸加熟附子亦可

一冷氣洞瀉　附子一用木香半用醋糊丸陳皮湯下每二十丸

一老少滑瀉　白朮山藥人參等分為末飯丸米汁湯下

一脾泄及老人中氣不足大泄不止　肉蔻煨一用熟附子一用飯丸蓮肉湯下每十八丸

一脾胃虛大腸泄米穀不化之力　大附十用水煮一日取出每寸切三片又煮半日用薑二斤同煮焙末又別以棗肉

丸空心米汁下　一霍乱吐瀉不止　附子(炮七刂去皮臍)
末塩(半刂)水煎温服　一臟寒泄瀉倦怠減食并活利(不止)
呉茱(過炒)猪臟(半條去脂)煠熟入藥搗丸米汁下毎五十丸
一脾泄腸滑　蓮肉(炒末一刄)肉蔻(一刄)草菓(一个燒存性)為末陳
米湯調下　一吐瀉寒症新病兼霍亂或單吐瀉
驗方 烏藥苦子木香三味同磨温茶湯下即愈後用胃苓
湯或霍香正氣丸調接　一治瘴瀉并痢瘧等症(家傳)
累效霍香腹皮紫蘇甘草桔梗陳皮茯苓白朮厚樸(半
夏神曲白芷加藿克莲蓮綱草南木香草菓檳榔鳳尾

揞天等味平分 ○痢疾　一赤白下痢　野苦練各蜀海岸出望在不

拘多少炒末蜜丸以蜜水酒各半煎湯服

一寺行痢疾治闔皆下痢　用平胃散术朴陳甘姜一兩加續斷酒炒半兩

水煎温服　一泄瀉下痢　枯礬兎爲末麵醋打糊丸

每服二三十丸白痢姜湯下　一飧瀉火痢　川椒一兩

蒼术二兩醋糊丸食前温湯下二十丸悪痢火者加桂

一脾泄臓毒下血諸痢屬熱症者　川黄連半斤塡猪大

腸内入炒埚水酒焙爛取連焙末搗腸和丸米汁下每百丸

一脾胃受湿下痢腹痛米穀不化黄連吳茱白芍同炒研糊丸服

一久痢不止　當歸二月吳茱一月同炒去茱取歸爲末容

凡米汁下　一切下痢不拘男女老幼一挽孔苦練方去油各平

分糊丸以朱砂爲衣青蕉湯下或茶下在久痢不止之下　木香一塊方員一寸黄連半月水

半介同煎乾去連取木香爲末分作三服一服陳皮湯

下一服陳米湯下一服甘草湯下　一諸痢久下又垂

陳皮煎湯服或作丸塩湯下亦可　一霍乱成痢

刘寄奴名昧核焫煎汁飲之　一下痢口渇引飲無度

麥冬三兩烏梅二十个水煮細細呷之　一三十年痢　赤
松上蒼皮一斗為末粥和日三服不過数斗活人
一飧泄滑痢不止　白茯一兩木香煨一兩半為末紫蘇木瓜
湯下二リ　一脾虛滑痢　黄雌雞一隻炙以塩醋塗
煮熟食之　一洞注下痢　羊骨燒灰水服每一匕
一虛痢危困因氣血虛弱者　鹿茸酥炙為末入麝香少
許以燈心煮棗肉丸米汁下每三十丸　一五色痢　蝟皮
燒灰酒服一匕　一暑痢暑泄　雄黄為末糊丸甘草湯下　一赤痢臍痛　黑豆吳茱子二

件楪磨吞嚥之一赤痢不止火麻子水研汁煮粟萓粥食之一老少白痢又陳

三月炮姜三月為末醋煮米糊丸米汁下每七十丸一赤白熱痢　蚯蚓泥一斤

炒煙盡沃水半斤濾淨飲之一赤白痢一方附子火濃小便

浸九遍乾姜木香並炒平分煎服一方桂枝甘草艾葉生姜

白米半酒半水煎湯化下一方金墨乾姜各五月白礬冤過

爲末丸服一方胡椒菉萓各一歲一粒末糊丸赤用生姜下白

用米汁下　一久痢赤白　大附子一个火燒煙盡置

地上盞蓋良久研末酒化蠟丸每三丸赤者甘草黃連

黑豆湯下白者黑豆甘草湯下如瀉及肚痛以水吞下

一方一枯礬四用糯米一用炒研飯汁丸量大人小兒與之

一方一肉豆蔻訶子並煨木香黃連爲末糊丸飯汁下家傳累驗

一濕痢腸風赤白下痢日夜無度及腸風下血

黃連吳茱各二用同炒各另爲末飯丸別置赤痢甘草湯

下黃連丸白痢姜湯下吳茱丸赤白痢各用十五丸米汁下

一赤白下痢骨立者　地榆一斤水三斤煮至半去滓再熬如膏空心服

一赤白暴痢如鵞鴨糞者痛不可忍黃連黃芩各一用水煎分三次

熱服　一赤白下痢腹痛食不消化　石榴皮炙黃爲末棗

肉并飯丸如寒活加附子赤石脂米汁空心服每三十丸日三

一寒痢厥逆六脉沉細者　參附各半兩姜十片丁十个粳米

一合或煎或丸空心溫服　一寒水泄久痢　附子一枚一生用一熟用以

黑豆半合同煼熟研丸黃連湯下每五丸

一寒痢色青　乾姜研末米汁服日二夜一　一寒冷

大腸痢　牛角䚡燒灰服日二次　一熱痢痛者　胡

黃連飯丸米汁下每三十丸　一挾熱下痢赤白

硫黄蛤粉等分為末糊丸米汁下每五十丸　一熱積

下痢　柴胡黄芩平分酒水各半煎空心冷服

一熱痢裏急　大黄一两酒浸半日煎服　一熱毒血

痢水痢　金銀葉水煎服之　一氣痢不止　枯

白礬一两研末天蓼木音了又音六辛草即椒飞哆巢晒乾爲末飯丸白

湯量人多少服　一氣痢裏急後重或下泄黄連生姜各一两木香一两先置姜竭底次連次木香新汲水三盞煑乾焙研末醋糊丸量服　一血痢不止

地榆三七研汁飲之　一方　苦参炒焦末丸米汁服

一盅痢下黑血或膿血如綻色　側栢葉爲末與黃連同煪汁飲之　一水痢不止　大豆一斤炒白朮半兩炒爲末米汁下　一水穀痢韮葉作羹仁食之或炒煎亦可飲　一酒積下痢　石灰五兩水和作丸黃泥包煆一日夜去泥爲末醋糊丸姜湯下　一久痢休息寺作寺止鼠尾草花即鞊趡蝦龍骨四兩並研水煎冷服　一休息痢經年不止　虎骨炙焦研末米汁下一匕日三　一下痢休息　杏仁去皮炒研猪肝一具切片洗淨以肝八塌中杏仁蓋上童便二斤煪乾食

一下痢噤口　人参蓮肉等分井花水煎細細呷之
附方 石蓮肉五个山藥鳳尾草煎服血者加白蜜三盞白
者加黄蓮枳壳　一下痢噤口及下痢後腸痛　山藥
半生半炒 枯礬七分 蘿蔔搗汁一盞 蜜水各一盞同煎服 夜吞阿膠九粒
一老人虛痢不止不能飲食　党参一両 鹿角屑炒研末
米汁下一匕日三服　一老人下血不止服止藥不效
用四物湯加冊皮白朮理脾而止　一治痢症傳方 黄連
五り 木香三り 散末和白米粥食之即愈　一治痢後腸脫

神效傳方 洋参三刂 九孔三刂 夜明炒三刂 山藥散末以天雨水去痒

一治赤白痢或赤白相雜日久不愈或瀉痢并腹痛

苦練子去殼皮去油 五倍子炒黄 枯礬一月 黄連三分 散末凡如桐子大每服十凡空心米泔送下若治諸痔症加射香一分用如前法以酒送下此方并治婦人小兒症用斷法甚妙

○脫肛

一虛冷脫肛 石灰炒熱故帛坐冷又炒坐

一大腸脫肛 蛇床子甘草各一月 為末白湯下一方 苦参五倍子陳壁土湯洗木賊末傳之

一小兒脫肛砂仁末入猪腰子中束烙熟食次服白礬凡如氣逆腫喘者難

一老少脫肛香附芥穗

爲末服又用味水煎洗淋等

一下血脫肛　白雞冠花防風等分爲末糊丸米汁下每七十丸　一久痢脫肛竜骨粉撲之

一痔漏脫肛　虎脛骨節蜜二兩炙赤末糊丸溫酒下二十丸

一肛門突出　虎脛骨燒末水服每一匕　一脫肛不收

一方一苧麻根即核亥乡餅徐上声章也可以爲繩煎湯薰洗

一方一木賊燒存性竜骨共研末按之即止　一方梅章根即荊棡簟研末糊丸服五倍子白礬煎湯洗之

一方一皂角槌碎水搗取汁浸之自收上收後以此水洗其

腰肚令皂角氣行仍以皂角皮酥炙爲末棗肉和丸米

汁下三十丸一方内飲以金剛水外塗以南鹹石摩水塗之更以鉄磨水塗頂上須臾立升

巽卷終

教授領嘉平縣訓導攝辦安勇縣阮文聞題助鉛錢叁拾貫

領越安縣知縣何陽著題助鉛錢弍拾貫

嘉平縣知縣阮克譪題助鉛錢叁拾貫

北寧省倉司監臨阮香題助鉛錢叁拾貫

潘司通判阮正雅題助鉛錢拾貫

安勇縣吏目阮如言題助鉛錢弍拾貫

439

新鐫海上医宗心領全帙卷之五十五

行簡珍需雜卷　目次

目次終

行簡珍需離卷

海上懶翁黎氏纂輯
後學唐鄗武春軒奉較

大便秘　一大便不通　白礬ㄅ一巴霜仁二共研勻湿紙包煨食一方一當帰白芷等分為末米汁服一方一火麻仁同粳米煮粥下葱椒塩豉空心食　一老人秘塞綿老芪陳皮去白各半月以火麻子一合研爛水煎沸入白蜜一匕再煎沸調入藥每三ㄅ二空心服之甚者不過二服此藥不冷不熱

一大便不快裏急後重　桃仁三月 吳茱二月 食塩一月 同煼
熬只取桃仁每爵五七粒一方 皂角子米糠炒 枳殻炒 等分
爲末飯丸如桐子米汁下每三十丸
一大便不通氣奔欲絶　羊胆汁灌入即通一方 烏枚
十个去核丸如棗大納入穀道中即通
○小便秘　一小便不通　磨刀水一盞　黄芪二リ
水煎温服小兒減半　一卒淋不通金墨一月爲末温水下每一リ
一婦人轉胞因過忍致不通　活石爲末葱湯下每二リ

一小便虛閉兩尺脉沉微用利小不效此乃虛寒　附子一ケ去皮鹽水浸澤瀉一刄或車前　燈心七ケ或散或煎服

一小便不通上喘　蜀麥根即木麥二刄　扁蓄一刄五分　燈心百ケ流水煎服

一小便不通脹急　象牙生煎服

一方象生肉猪汁服

一小便不通腹脹如鼓　田螺一ケ鹽半匕生搗傅臍下一寸二分即通

一便毒初發　于步峰即坦褶初用生姜醮醋磨泥塗之

一轉胞小便不通　琥珀末一刄　葱白十ケ水猪汁入珀末二刀温服

一方貝子一對一个生一个燒爲末溫酒服一方蚯蚓糞撲硝等分水和傳臍下一方蜘蛛二个燒爲末井花水一盞調服之

一便閉汗多老人虛人並用一方車前一斤八冬瓜汁并水同煎服一方茯苓酒浸焙一兩沉香一兩研末麻仁打糊丸白湯下

一方玄胡索川楝子等分爲末白湯調油數點調服一方苧麻根蛤粉半兩爲末空心新汲水下一方蚯蚓搗爛浸汁濾取濃汁半盞服一方萱草根即萎軒煎汁頻服

一治男女小便赤白傳方白便用白雞冠花赤便用赤雞

冠孔其人瘦用四物肥用四君有痰用六君加此爲君

○二便俱秘　一二便不通　莧寔(半斤)爲末分服(新汲水下)

一方皂角去皮子爲末糊丸每服三十丸(卧方)

(一方)檳榔爲末童便葱白同煎服(一方)巴豆黄連各(半斤)擣餅

滴葱姜汁于臍中炙二七壯取利爲度　一二便不通

開格脹滿二三日久則害人　胡椒二十粒打碎水一

盞煎六分去滓入芒硝(半斤)煎化服外以皂角(莢座上薫之)

一癃閉不通小腹急痛不問新久並治　荊芥大黄

等分爲末温湯服每十二若小便不通大黄減半大便不

通荆芥減半　小便不禁　一腎消尿数不禁

雌黄一两乾姜半两盐炒糊丸空心塩湯下十丸至三十丸

一男婦遺尿　枯白礬牡礪粉等分爲末温酒下每

一匕日三服　一小便頻数氣不足也　益智塩炒

烏藥等分爲末酒煮山藥丸白湯下每三十丸

一腎消尿数　鹿角一具炙擣末温酒送下一匕日服二

一小便不禁上熱下寒　鹿角霜末酒糊丸空心白

湯下每三四十丸　一小便頻数　鹿角霜白
茯苓為末酒糊丸塩湯下三十丸　一老人遺尿不
知者　草烏頭一月童便浸七日去皮塩炒酒糊丸塩湯下
○五淋　一五酥淋瀝即勞血熱氣石淋及小便不
通至甚者　硝石一月不夾泥土雪白者生研為末每
服二々各依湯下　一勞淋者勞倦虛損小便不出小
腹急痛葵子末煎湯下後須服補虛丸　一小便不
出辰下血疼痛滿急與熱淋小便熱赤色臍下急痛並

用冷水湯下　一氣淋小腹滿急尿後常有餘瀝木通湯下　一石淋莖内痛尿不能出内引小腹膨脹急痛尿下沙石令人悶絶將藥末先入䤵内隔紙炒至焦爲度再研用温水下一如小便不通清冷水下小麥湯下卒患諸淋只以温水下並空心調藥服之

一沙淋石淋及尿血痛不可忍　人參黄芪鹽炒等分爲末以大蘿蔔一个切片厚蜜二月浸炙盡不令焦點藥食鹽湯下

一沙石淋瀝方一琥珀一月爲末葱白十个水煮八珀二月末服

一方　雄雞胆半月雞屎白炒一月温酒服每一

一石淋疼痛雞屎白炒末酸漿服每一匕日二一方車前二斤水煎服之

一石淋痛澁　人髮燒存性研末井水調服每二ツ

一石淋遺血牛角燒存性研末服一匕日五　一氣淋結澁　白芷二月醋浸焙乾為末木通甘草湯下每二ツ連進二服

一白帶沙淋　白雞冠花苦胡蘆燒存性為末空心火酒煎服

一血淋熱痛　黃芩一月水煎熱服

一血淋痛不可忍　香附陳皮赤茯等分煎服

一血淋作痛　生地汁車前葉汁各二合煎服

一血淋澁痛　山梔活

石等分研末葱湯下　一血淋苦痛　亂髮燒存性八
錢少許米汁服　一血淋及諸淋　苧麻根地錦草即核
乾焼井水搗服三次可愈　一小兒膏淋　羊骨燒研榆
白皮煎湯每服二ツ　一老人淋身体熱甚　車前子
五合綿包煮汁入粱米煮粥服　一小便赤濁　遠志甘草
水浸半斤茯神益智各二両為末糊丸棗湯下　一小便卒淋
紫草一両研末食前井花水服每二ツ　一小便五淋
赤芍一両檳榔一煨一ケ石決明去皮研宛如淋中有軟硬物加杉

木末一分水湯下每二ㄅ　一急淋陰腫　葱白半斤煨熟杵爛貼臍上　一治諸淋玉莖作痛諸方不效　牛膝白童女根葉洗淨忌鐵煠湯調蜜鋪霜一夕服神效　一方卧治血濁淋漏莖腫痛大便閉小便澀痛　桑耎葉擣取汁露一夕入白蜜飲之　一卧治遠行勞力小便如石汁而閉澁　用六味料加知母黃栢鹽酒炒半ㄅ滑石二月石連八ㄅ車前一ㄅ七炒　一卧治白濁淋勞困而成者　車前木通活石竹茹燈心水煎又取蘭烏葉血搶葉取汁調蜜飲

○女科　一婦人百病諸虛不足者　當歸四月熟地二月蜜丸食前米汁下每數十丸　一婦人臍下氣脹月經不利嘔不睡　當歸四月乾漆燒存性蜜丸酒下

一婦人氣盛頭疼　川芎白朮烏藥等分或丸或煎亦可葱茶湯　一子宮寒冷　蛇床子為末入白粉少許和勻作丸納入即煖　一氣血逆走作痛及腰痛　蓬莪朮乾漆各二月為末酒服如腰痛桃仁酒壯者宜之

一氣盛血衰生諸症頭暈腹滿　香附四月桔紅二月茯苓

炙草各一兩為末熱湯下　一小便卒不得出及便血　紫草三合

井花水服若便血服五合　一婦人血塊　土牛膝根

洗切焙酒煎溫服最效　一氣血不調　通草卽枝肆鵠

煎三五盞服　一陰寒久年無子　吳茱川椒為末蜜

凡納入陰中日再易子宮開卽孕　一婦人遺尿

桑螵蛸炒為末姜湯服ㄅ二　一陰戶出血因交接傷者

五倍子為末摻之　一婦人陰吹此胃虛氣下泄陰吹而正喧穀氣實也

猪膏半斤亂髮鷄子大二枚和煎髮消服　一血風虛冷月候不調或

手足熱或頭面手足頑麻幷治男人風痰　附子一斤

清油四月 塩四月 混入塩猪裂如桑椹色爲度去皮臍五靈

脂四月 爲末搗匀凡空心温酒下每二十凡 一婦女因多病欲斷

産者　蚕紙一尺燒爲末酒服終身不産　一令婦人不

妬　取婦人月水布包蝦蟆于厠一尺入地五寸埋之神效

一驗治陰門出糞屎如荔枝　紅花當歸白芷牙皂百

草霜姜活平分用醋猪鷄卵七个調藥服或服五苓散或用補中益氣

一驗治陰門痛幷腫　葱白同乳香搗貼痛處有瘡鯽胆塗之白礬一月水洗

一治婦人重舌其人素強健多渴　先以黃連防風黃芩桔梗甘草復以二陳去半夏加防風桔梗黃芩紅花見應痛某處白礬皂角散末和水攻之　一治婦人血白諸虛症　鹿角霜茯苓白术白芍山藥龍骨炒赤石脂牡蠣平分乾姜減半白芷右爲末醋糊丸空心米飲下又指天草一把酒洗黑豆半合水煎浸霜一宿加蜜少許服之如子宫冷加姜桂熱加梔栢柴胡煎湯下

經病　一經月逆行從口鼻出　香附小便炒黑當歸尾用中紅花

各三ㄅ水煎汁以京墨磨服止之繼以歸單服經卽通
一經脉不調或前後多少及胎動産後悪露不下與冷
熱脊腰疼痛丹參洗淨切乾爲末温酒服每二ㄅ
一月經不調久而無子此衝任伏熱也　熟地半斤當歸
二兩黃連一兩酒浸一宿焙乾爲末蜜丸米汁或酒下
一經水不調血臟冷痛　熟地當歸等分水煎服
一水月不調　阿膠蛤粉炒成珠　神砂半ㄅ研末温酒服
一室女經閉　歸尾没藥各一ㄅ爲末紅花酒浸北面飲

日一服　一驗方鼠屎炒赤每服ソ一空心好酒送下

一經閉結成瘕塊脹大欲絶　馬鞭草苗根五斤熬煎去滓搗成膏酒化下半匕日三服

一經閉至一年臍腹腰膝沉重寒熱往来○芥子二両為末食前酒服每二ク

一經閉驗胎凡経一个月不行當驗有胎無胎　生芎為末煎湯空心服見腹中微動有胎不動無胎

一經血不止　烏龍尾炒煙盡阿膠炒焦鷄冠晒乾歸芳香附製艾葉水煎服或散酒湯下

一經水不止日漸黃瘦　萦鑛即梗蜆爲末空心白湯下每二ク

一婦人五十天癸當住每月却行不止　條芩心二月醋浸七日炙乾又浸七次為末糊丸酒下

一經月不調及諸症　香附二斤分四製酒醋鹽便春三秋五夏一冬七洗淨焙末醋煮糊丸酒下每七十丸如瘦人加澤蘭赤茯各二兩氣虛合四君料服血虛合四物料服

一驗治血淋二三年不愈　側栢葉一把黑豆四十九粒燈心七个姜三片酒煎服加馬鞭草陳茶三五年佳

一婦人肥白經閉　驗方用四君加桂附連進五六劑經行先病

帶病　一婦人白帶白淫　風化石灰一兩白茯二兩為末糊丸空心米汁下每三十丸　一白帶多因七情內傷或下元虛冷所致　沙參為末米汁服每服二ゾ

一白帶因任衝虛寒而致　鹿茸酒焙二兩金毛狗脊白蘝各一兩為末用艾煎醋飯丸酒下　一婦人白帶　百草霜一兩金墨香者三兩猪肝剖開入藥于中包煨熟酒食之

一方一白芷四兩以石灰半斤浸三日去灰取芷炒研白鷄冠花研末如赤用紅鷄冠花酒下　一青黃赤白帶下及崩

中漏下令人無子　禹餘粮煅研　赤石脂　牡蠣韮煅研　烏賊骨　伏龍肝炒　平分末酒下加桂心

一帯下赤白不止黄痩　地楡三月　米醋一斤　煠十沸去滓食前熱服

一崩中帯下　椒目炒研　野猪外腎連皮炒存性　研末米汁服

一方　血餘五ク焼存性酸漿草鶏子青麻油煎調服　驗方

一赤白帯下　一方　柹餅擣尾焙為末飯湯下　一方　韮根擣汁露一夕服之加童便　一方　禹餘粮火煅醋碎　苦参二月　牡蠣五分為末雄猪肚一ケ煠爛和丸酒下　一方　益母石菖蒲

破固紙等分炒末服又以菖蒲酒浸調服日一服　一婦人白帶

一方　艾葉煏與鷄子食之效　一方　先補氣血後以權葉汁八枯礬一ク效服效

求嗣　一婦人無子　二月丁亥日取杏花桃花陰乾為末戊子日和井花水服日三　一方　立春日雨水夫妻各飲一杯入房有子

姙娠　一安胎順氣　香附炒仁並為末煎紫蘇湯下每一二ク

一胎氣不長　鯉魚一頭燒末酒調服一匕令汗出

一轉女成男法　婦始娠用原蚕沙一枚井花水調服外用雄黄一兩囊盛掛之

一姙娠惡阻胎動不安氣不升降嘔吐酸水起坐難飲食少　香附一兩藿香甘草各二夕研末沸水盐調服

又方半夏人參乾姜等分為末生地汁和丸米汁下每五十丸

一姙娠胎動　阿膠炒成珠艾葉各二兩葱白一握水煎服

一胎動下血　鷄卵二枚打破以白粉和希食之

一因有所動胎動危困者　竹瀝一斤煎飲立愈

一孕六月胎動困篤危甚　葱白一大握水煎去滓汁服

一孕八九月或墜傷牛馬驚傷心痛　青竹茹五兩酒一斤

煎至五合服　一胎動欲產月期未足者　槐樹東引枝令婦人手把之　一胎動已見下血　乾蓮蒂一枚研末糯米汁調服

一胎動下血腹痛搶心　一方用銀器入米煮粥食

一方川芎葱白煮汁飲未死即安已死即出未效再服

一胎動不安　秦艽炙草鹿膠各半兩糯米五十粒煎服

一方生地黃搗汁煎沸入鷄卵白心一个調服

一胎動忽下黃水或如膠如豆汁腰痛苧麻根去黑皮二斤銀花一斤酒水煎服

一因跌墜胎動痛不可忍　砂仁爲末炒透溫酒送下

一胎動衝伭脉虚惟宜抑陽扶陰 熟地二両 歸一両 微炒末凡温酒下每三十丸

一胎動或腰痛或傷心或下血不止或倒産子死腹中者

艾葉一把 酒四斤 煮服若動胎迫心痛用醋煮服

一胎上冲心 葡萄即巢儒 煎飲之

一胎中僵伴胎上冲心 蟹爪煎服之 又方 欖核燒存性為末苧根一把 水煎砂仁末與酒調服

一姙胎下血而無腹痛 阿膠二両 艾葉三両 芎草各二両 當歸地黄各三両 白芍四両 酒水各半煎八膠和化每服二斤日三服

一胎漏下血 血尽則子危 一方 鷄卵取黄 十四枚好酒二斤 煯如錫食 之未愈再作

一方 益智砂仁五倍子共炒末或酒或白湯調下可愈

一方 當歸生地煎汁阿膠 炒末 蓮房燒研入清酒少和服

一孕婦熱淋 車前猪苓 各五月 葵根 切片煎服外用活石為末水和如泥臍下二寸貼之

一或因服藥誤胎動子煩卧不得 知母 一月焙為末棗肉丸人參湯下每一丸

一子煩口乾不得卧 黄連為末粥食下 或酒蒸連為凡亦可

一孕婦子煩 茯苓 二月 竹瀝 一斤 水煎服或無苓亦可

一妊娠胥月痛 各子 縮砂和皮或酒或米汁調下

一姙娠浮腫（名子腫） 山梔姜（以蘿蔔子同炒） 去蔔取姜（為末溫酒下每二匁日一服二日二服三日三服）

一胎腫屬溼熱 山梔子一合炒研米汁下每二匁

一姙娠腫從脚至腹小便不利微渴引飲 赤茯（去皮）

葵子各（半刄） 為末新汲水調下每二分

一姙娠咳嗽（名子咳） 貝母去心麩炒為末砂糖伴凡 每含一凡

一姙娠腰痛 鹿角截（五寸燒赤） 浸酒（效次研末） 菉豆（一斤酒五斤煎入鹿角末調服）

一腹痛胎動 桑寄生（一刄半） 阿膠（炒一刄） 艾葉（半刄） 水煎溫服

一心痛不可忍 食塩燒赤酒服之

一中惡腹心疼痛　桔梗一兩生姜三片水煎服

一月未足而腹痛如欲産狀　知母二兩為末蜜丸米汁下

一傷胎血結心疼痛　童便日服二斤見效

一下痢疼痛　為鷄卵一个開孔去白留黄入黄丹五分打勻泥包煨研末米汁服每二分一服愈是男二服愈是女可驗

一胎前及産後下痢　龜甲一枚醋炙為末水服每一分

一妊娠下痢　阿膠二兩羊脂如雞子大十枚酒煯服

一妊娠尿血　阿膠炒黄為末米汁下

一胎中及產後便血　亂髮燒灰取夫爪甲燒灰共研末酒調下

一轉脬淋秘　阿膠三兩水煮服　一尿難而飲食如故

貝母苦參當歸各四兩為末蜜丸服每三丸至十丸

一姙娠熱病　井底泥水和清去泥入葛根二兩煎服

一辰行疾熱病令胎不安　伏龍肝研末和水取清水飲滓塗臍中

一安胎清熱　條芩白朮等分為末加神曲和糊丸米汁下

一姙娠調理　用四物去地黃加白朮黃芩為末常服

一傷寒壯熱赤瘢變黑瘢尿血　艾葉一把葱白一握酒煎服令汗出自愈

一感寒　鯉魚燒為末酒服令汗出

一瘧疾因傷寒而成　高良姜二ㄅ猪胆浸一宿東壁土炒黑去土用

又以棗十五枚同炒為末水湯於將發辰服二分

一胎前瘧疾　夜明砂為末空心酒服每二分

一孕中有瘧　薏苡仁為樂五分牛皮膠一片水煎溫服

一腹中鬼哭　黃連煎呷之

一易産　市門土八月帯之産辰調服

一臨産不能順胎九月十月服此永無驚恐　香附砂

仁、艾草各炒為末米汁服每二ク　一熱病胎死　紅花酒煮飲之

一胎動或子死腹中血下疼痛口噤欲絶　歸二ㄢ　芎一ㄢ

為粗末酒一盞入水煎温服或灌之做人行五里再服不過三五服不瘥則痛止已瘥則立下

一墮胎血溢不止　金墨三火燒醋ㄢ碎三次　沒藥、當歸各一ㄢ葱白一握酒一盞水煎温服

一墮胎血瘀不下狂悶寒熱　鹿角屑一ㄢ為末豉湯服每一ク日三服血自下

一墮胎腹痛血出不止　羚羊角燒灰豆豉酒湯下

一胎動半産及卒動或腰痛胎轉搶心下血或月未足

而欲産　菖蒲根搗汁、蒲黃ク二井花水服

一頻致墜胎及姙娠行經　赤小豆爲末服每二ㄅ

一頻慣墜胎或三五月卽墜者於兩月前宜服　杜仲八兩糯米浸遂炒　續斷二兩酒浸焙乾　白朮　黃芩各四兩　山藥六兩　共爲末糊丸米汁下每五十丸過期止服。一有病欲去胎者：蟹爪二合　桂心　瞿麥各一兩　牛膝二兩　爲末空心酒服

一落胎下血　丹參十二兩　酒水煎服。又去胎一方鷄卵一个入鹽三匕攪服

一驗治胎石腹大有一人名妹右被此病十年餘諸藥不效幸得途人傳服此方果效驗　木香　茴香昌　望馬前各昌朱之　各三兩　又以望根切炒酒煎煎四味研末以此酒送下頻小便卽愈朱之浸姜汁三日夜

臨産

一催生及下胞衣　伏龍肝猪汁服外用萆麻子去殼研膏塗足心已下洗去

一產血不下　釜臍墨炒研熱酒服

一催下胎不拘生死　草麻二个巴豆一个麝一分貼臍中與足心　一方草麻子如一月酒吞一粒餘倣此

一催生易產　麝香一分水研服立下

一產難　一方羚羊角一枚剖角尖為末酒服一匕易產

一方馬御鐵臨辰持之并嚼服一盞立生

一方土蜂房即祖虾虾水泡湯飲之如取辰逢單是男逢双是女　一方益母草搗汁

煎藏羊金墨一寸燒為末調匀服之見效　一方龜甲鼈甲並燒存性為末酒服一匕即易生

一產難胎死及橫生倒產 黑豆流水煎歸二兩芎一兩爲末加童便一鍾和勻藥末分爲二服未效再服

一前有胎後產難此血乾滯也 烏麻油半兩 白蜜二兩同煎數十沸溫服血活即下

一產難數日不出 蓖仁一個剖開一片書可字一片書出字吞之即生

一產三五日不下垂死及短小女子交骨不開者

龜甲一個酥炙 婦人髮一握燒灰 芎歸各二兩 水煎服一刻再服生死胎皆出

一經日不產 鹿糞乾濕三錢研末姜湯下

一橫生逆產 伏龍肝爲末每服一錢外復酒調仍搽母臍中

一方百草霜（忌銅器）用土尾烏龍尾酒調清水溫服下

一横逆及瘦胎產前後虛損與月候不調崩中漏下

百草霜白芷苦歸滑石爲末童便醋少許熱湯化下

一横生倒產　人參乳香各（二匁）丹砂（五匁）並爲末鷄子（一枚）

取白心八生姜汁（一匕）和勻服即母子俱安

一逆生盤腸　蓖麻子油塗頂上　一逆生須臾不救

者　蛇蜕（一具）蟬蜕（十四个）頭髮（一握）並燒灰分二服酒下仍以

小針刺兒足心擦鹽少許即生下

一橫逆不順　蛇殼全一具鹽泥封燒研末榆白湯下外以萆麻磨產婦腹并兒足心　一方車前兔絲等分炒為末白蜜麻油共煎沸調二末和勻服

一子死腹中　一方益母草搗汁伏龍肝桂並為末酒少許調勻和服　一方鵝卵取黃姜汁和服　一方以夫尿二斤煮沸飲之

又驗方雄鼠腎一對乳香少一凡銅鎖煎湯加酒調下　一方新熱牛糞塗臍下即

一子死腹中母氣斷絕與能斷產　大豆三斤以米醋煮濃汁八童便少許頓服之外生附子為末醇酒和塗右足心立下已下去之

一胞衣不下　一方洗兒湯頓服一盞勿令知之

一方蒲黄二ツ井花水調服　一方雄黄酒煼取汁與生地搗汁和勻温服

一方一驗明礬七分老酒醋調服即下　一胞衣不下惡血冲心　五靈脂半生半炒研末温酒下每二ツ

一胞衣不下腹脹困極　一方螻蛄一枚水煼二十沸灌下喉即出

一方鹿角屑三分姜湯下外以水和醋噴面神效

一大腸脱肛出　磁石半刄火煆醋碎七次為末米汁下三ツ

一產腸脱出　姜活二刄酒煎服外以皂角炙去皮研末少許吹鼻中

一子腸脱出　全蝎炒末口含水鼻中搐之又以塩湯洗淨五苓脂燒煙薰之

一子宮不收名癃疾不可忍　磁石半用酒浸煆鉄粉ソ二
半歸ソ五為末早日服之又以磁石酒浸煆研末飯丸每卧辰滑石湯下四十丸
一產後陰脫　一方鱉頭五枚燒研井花水調服外用蛇床子絹盛蒸熱熨之
一方先以蛇床子烏梅水煎溫洗用雄鼠糞燒煙熏之
一產門不閉或陰脫出　石灰一斗炙黃以水二斗投之澄清洗之
一臨產下痢　梔子燒研空心熱酒服一匕
一治婦人產久或二三日不下其人氣湓于橫轉
當歸ソ三川芎ソ二枳殼去穰ソ二紫蘇葉香附大腹皮各ソ一甘草七分

不下依前方倍用若其子乾澁不下加冬葵子白芥子二味微炒散入煎藥飲果愈

産后

一産后氣血攻心惡物不下　伏龍肝為末酒服每二少泻出惡血

一産後惡露不快腹痛寒熱血瘀血塊經閉黃瘦少食頭疼　五靈脂炒為末醋調蒲黃末和丸如眼子每服

一凡水入童便煎溫服卽下如血塊經閉酒磨服之

一産後風寒腹痛　姜活二月酒水煎服

一血痛有塊　姜黃桂心等分為末酒服一匕血下盡卽愈

一感寒腹痛欲絕　陳艾二斤搗鋪臍上以絹覆住熨斗熨之
一產后血痛　白鷄冠花酒洗服
一血塊癥痛　桂爲末酒服一匕
一神驗方治腹痛兒枕痛及瘀血不通　丁稜切片炒黃一斗水煎服神效
一惡血冲心心痛氣悶欲絕　桂心為末狗胆汁丸如芡子熱酒服每一丸
一大虛心腹絞痛厥逆　羊肉一斤歸芍草各七ㄅ半水煯肉爛入藥服食
一兒枕痛及血崩腹痛　蟹売燒存性末汁服一ㄅ
一兒枕作痛　五靈脂炒研末酒服每二ㄅ

一方一樠花子炒黃搗末煎飲一鉢立止

一血運心悶欲死　金墨以丈夫小便磨濃服

一因怒氣發熱血暈煩悶昏迷或血暈築心目倒口噤

乾荊芥穗半生半炒為末酒童便調服若角弓反張豆淋

酒下口噤者排灌入又灌入鼻中或煎服亦可

一產後血暈　人參一月紫蘇半月以童便酒水煎服

一方鹿角一段燒存性研末酒調下

一血眩風虛精神昏昧　芥穗一月三リ夾仁炒五ア散末水服每二

ソ若喘加杏仁炒炙草各三ソ

一血運心氣欲絶　益母草研汁服每一盞

一心悶氣絶　紅花一月酒童便煎服若口噤排齒灌之

一產後煩悶　禹餘粮一枚入地埋一半灰火一斤煆之濕土一夕打破去外面取裡面細者研水淘五七度日乾再研甘草湯服

一乳石發動煩悶　芒硝蜜水調日三服

一產後煩悶　蒲黄爲末東流水每服一匕

一目閉心悶　赤小豆生研東流水和服一匕不瘥再

服若滿悶不能服小豆二十个燒研冷水服

一産后不語　一方人參石菖蒲黃蓮肉等分水煎溫服　一方用石菖蒲

一方生白礬一刀熱水調下惟脉寔有力者宜

一秘塞出血不多　人參麻子枳殼麴炒為末蜜丸米汁下每五十丸

一産后血多　三七研末米汁服每二刀

一穢惡未盡腹滿血暈寒熱心悶手足煩熱氣力欲絶

玄胡索炒研酒服一刀

一惡血不盡或經月半年　升麻三月清酒五斤煮二分半

二服吐出惡物而愈

一惡血不止　乾地黄炒為末一錢食前熱酒服連進二服

一下血不止　紫苑菖蒲一兩半酒水煎三分食前溫服立止

一心痛惡血不盡　蓮葉炒香為末水下或童便調下或燒灰或煎並可

一産後血崩　蓮房五个燒存性香附二兩醋炒為末米汁下日三服

一因怒哭傷肺嘔清綠水　韮菜搗汁和服入姜汁少許

一嘔逆別無他症者　白朮一兩二錢生姜一兩五錢水煎汁調參末服

一腹大坚滿喘不能卧　商陸三兩大戟一兩半甘遂炒二兩各為末煎湯下

一呃逆　白豆蔻丁香各五錢研末桃仁湯服每一錢再服見效

一癲狂由敗血及邪氣入心也硃砂二ㄅ為末以紫項地龍一條入藥滚三滚刮浄去地龍不用分作二三服

一發狂歌唱無辰踰墻上屋乃血迷心胞絡　四物加青黛水煎服或逍遥方加蘇木桃仁遠志生地紅花有熱甚入小柴加生地辰砂煎服

一狂言血運煩渴不止　香附生姜大棗為粗末水煎服

一狂言失志由瘀血運也　紫礦即蜆梗一月為末酒服每二ㄅ

一血渴飮水不止　黄芩麥門等分水煎温服不拘辰

一口渴　蜂蜜煉丸熬水調服即止

一口乾舌縮　鷄卵一枚打破水一盞調服

一血塊　大黄一兩為末醋半斤熬膏丸温酒湯下每五十丸

一瘀血血閉　蒲黄二兩水煎頓服血閉用桃仁二十枚煎服

一血亂奔入四肢并遠墜者　狗頭骨燒灰酒服二ソ

一頭疼　川芎米汁浸切炒為末茶調服二ソ

一中風語澁四肢拘急　姜活二兩酒水煎服

一中風不省人事口吐涎沫手足瘈瘲　當歸芥穗等

令為末水一盞酒少許童便少許煎七分調藥灌之下咽即有生意

一中風身直手足反張　竹瀝飲一二斤

一風虛　獨活白鮮皮各三兩酒煎服

一中風脇痛　生地黄生姜各五兩共搗混浸一夕次日並

炒汁乾乃焙為末每酒服一匁

一產後中寒遍身冷直口噤不識人　白朮澤左各一兩生姜五匁水煎服

一傷寒血運悶絶　蓮葉紅花姜黄等分炒末童便服每二匁

一諸虛發熱自汗　猪腰子一个去膜切片水三斤糯米半合葱

白仁二个煁熬取汁一盞用參歸平分研末調八再煎食前溫服

一身熱如火皮如栗粒　桃仁研泥同蠟脂傳之日日常易

一煩熱內虛氣短　甘竹茹一斤參苓草各三兩芩二兩水煎分三服

一淋瀝　紫草一兩為末每食前井花水煎服二錢

一血虛浮腫　澤蘭防已等分為末醋湯下每二錢如無

故起腫以曷蓼蕺水煁洗之　一青腫乃血水積也

乾漆大麥芽等分共末用新瓦中鋪漆一層重重令滿

鹽泥封煅赤研末酒調服諸疾並宜

一諸下痢　莧葉蒼耳葉並擣取汁煖溫服

一瀉血不止　乾艾葉半月炙熟老生姜各半月水煎湯一服立效

一痢渴日久津液枯四肢腫舌燥唇焦及傷寒痢渴

烏梅二十ケ麥冬二ク水煖一盞取冬瓜一枚黃土泥封飲煨熟絞汁

一自汗壯熱氣短脚痛不可轉　歸三ク黃芪各二ク生姜五片水煎溫服

一盜汗　牡蠣粉麩麥並炒黃等分為末豬肉汁一ク調服每

一嗇嗇惡寒　吳茱皮大如鷄子酒浸半日煖服

一產後虛羸　黃雌鷄一隻治如食法入生百合三枚粳米

半斤縫合八五味汁中煮烹開取百合并飯和汁作羹食并肉

一虛羸腹痛冷氣不調及脇中風汗自出　羊肉一斤治食如常調之可愈　一虛羸服此能令人肥白壯健

羊脂二斤生地汁一斤姜汁五合白蜜三斤煎如飴溫酒服一盞

一乳癰初起　白芷貝母各二〻石羔煆經共為末溫酒服

一方用烏鰂葉擣末入小童便塗之神驗

一乳癰初起且痛且痒　葱汁一斤頓服外用丹参白芷芍藥擣末醋浸一夕絞取汁熬成膏傳之

一乳癰初起堅紫　柳根皮擣末火温帛包熨之冷再易

一乳癰水腫　蒲公英一月忍冬藤二月酒少許擣爛取汁食前服外以滓敷之

一乳癰妬乳汁不通内結成腫名妬乳　蜂房燒灰研末温水調服每ク二外用樑上塵醋和塗之

一乳石熱毒壅悶頭疼口乾便澁　乳石爲末以蜂房煮汁調服令從小便出

一乳腫痛或不自乳及疔腫諸瘡　蘇葉甘草忍冬蒲公英水煮汁服外又擣爛封之立消

一乳石發動煩渴　沃石五月水一盃煎白汁頓服

一方 穿山甲(炙焦末) 木通(各一兩) 自然銅(生用半兩) 為末酒下每二錢 此治吹乳

一乳懸兩乳忽長細小如腸垂過腹痛不可忍危已須臾

芎歸各一斤用半剉散水煎不拘辰服用半剉散於病人

床下燒煙令吸其烟若盡未效再作一料 又以草麻子一粒搗貼頂心

一勸乳成癰痛甚　益母草生搗盦乳上

一吹乳腫硬疼痛輕則為妬乳重則為癰乳

陳皮 栝蔞根(各一兩) 乳香 甘草(各一錢) 或煎或散並酒調服

一乳頭破裂　燕脂 蛤粉 為末傅之 一方 丁香 為末傅之

一乳腫不消　犇草即樣彰ケ小豆等分為末酒和塗之

又方 驗天冬頭煮湯食以滓與韮菜八塩擣塗之

一乳岩發熱　烏豆二斤銅器煮汁飲之

一秋月冷乳裂　茄子裂開陰乾燒存性研末水調服

一乳岩因久憂鬱乳房有核宜早除若不痛癢久則不治

一方 青皮タヲ穿山甲炮並研末酒服每一匕外以油梳梳之

一方 皂角燒灰蛤粉等分鼠糞七ケ棗肉包燒存性並為末温酒服

一乳石發渴　木浸鷄卵取青生服外用白馬溺塗腫處

一乳癰已成　鼠糞新湿黄連大黄米汁和塗四边即散

一吹仍掀痛　鹿角屑炒黄為末酒服每二錢外以油梳梳之

一乳癰未潰　人牙炒研醋調貼之

又驗方　鼠屎炒煙盡黄蠟二錢研末蒲公英金銀夏枯草酒水煎服

一乳汁不下　一方知母貝母牡蠣粉等分研末用猪蹄煎湯調下每二錢

一方　栝蔞根麥冬並燒為末酒磨犀角調藥服下

一乳汁不通　赤小豆煮汁飲之

又驗方　以烏臼葉各奠草用一百二十葉甚效鹽少許青蕉葉封之置本床頭不許婦人知一夜即通

一產後無乳　乾胡荽煎湯飲之即有

一產後回乳此產母無子乳食乳不消令人惡寒發熱　大麥牙五月炒爲末白湯下每五ノ

一半身不遂　蔓朝草根炒黃煎服急欽　外以南丁香搗爛醋貓透之

雜卷終清義奉書

古寮社正隊長率隊阮輝𤎜題助鉛錢五十貫

副里阮包題助鉛錢肆貫　阮文旦題助鉛錢五貫

阮文尊題助鉛錢拾貫　阮文磬題助鉛錢拾五貫

羅岸社裴文營供三貫

R.1168

新鐫海上醫宗心領全帙卷之五十六

行簡珍需坤卷　目次

兒科　初生　大小便秘　客忤
夜啼　不乳　小便秘
遺尿　尿血　嘔吐蛔　泄瀉
吐瀉　痢疾　脹滿　腹痛
盤腸　內吊　霍亂　傷風
咳嗽　發熱　寒熱　發痱
發黃　癥病　目疾　口疾
舌病　口噤　撮口　虫病
孝吼　流涎　臍腫　停耳
白秃　腫縮　諸瘡　汗
食土　項軟　龜背　齒遲
髮遲　語遲　行遲　卒死

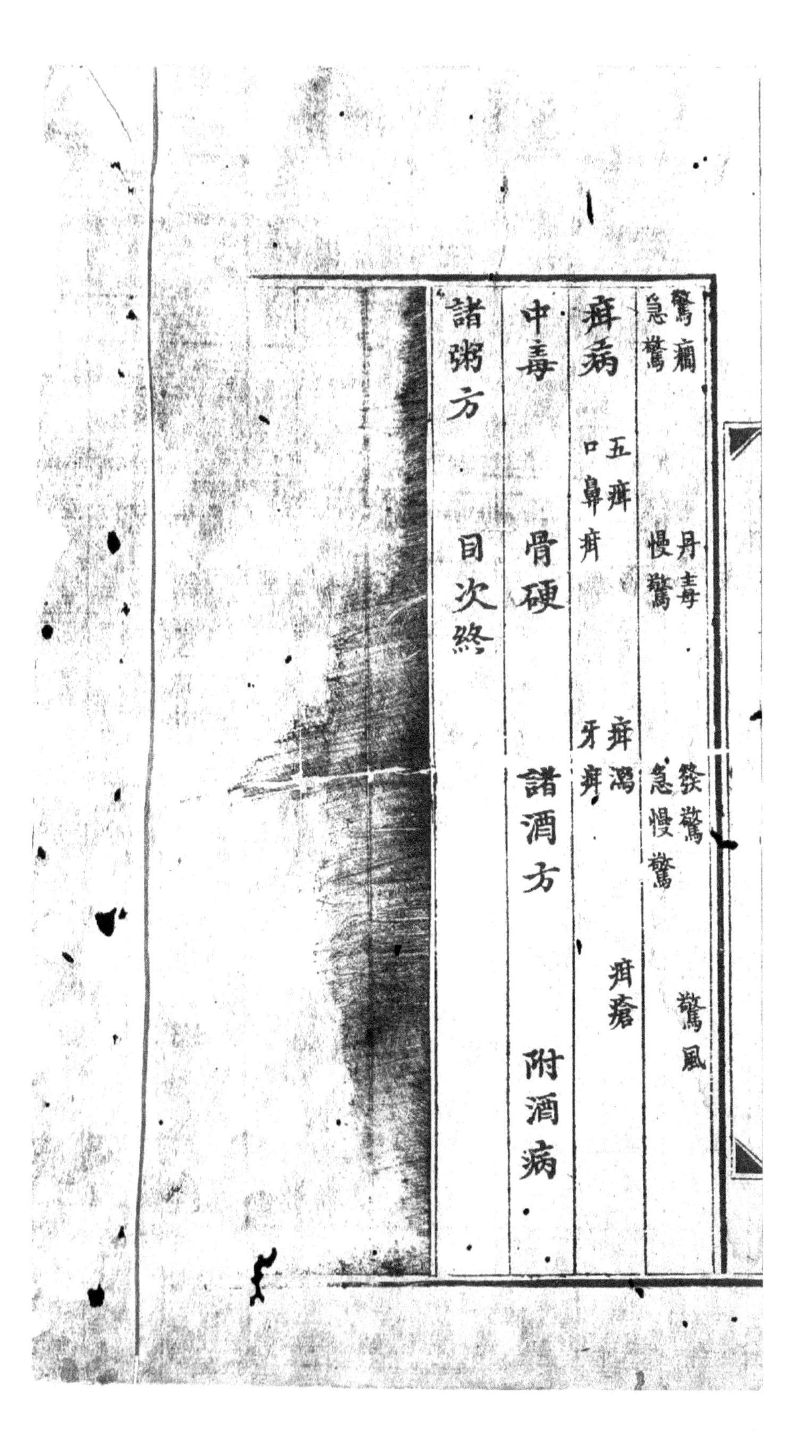
驚癇　丹毒　發驚　驚風
急驚　慢驚　急慢驚
㾖病　五㾖　㾖瀉　㾖瘡
口鼻㾖　牙㾖
中毒　骨硬　諸酒方　附酒病
諸粥方　目次終

行簡珍需坤卷

海上懶翁黎氏纂輯

後學唐鄧武春軒奉較

兒科

一初生不啼　冷水灌之外以葱莖鞭之即啼

一初生不乳由咽中有穢物　水銀半粒大與之下咽即乳

一方　雀屎四枚研末調乳汁而灌之

一初生鎖肛症由熱毒經于肛門故閉而不通也　令婦人咂兒前後心手足心并臍七處四五次以輕粉半り蜜少許温水化之匀辰辰呷

一舌出白膜皮裹或遍舌根先以指甲刮破令血出用白礬燒枯為末傳之不去必啞

一二便閉　　甘草　枳殼根各一ソ　水煎服

一預解胎毒　黄連煎湯浴之不生瘡與丹毒

一浴不生瘡疥　益母草五月　煎水浴之

一尿澁不通　車前擣汁入蜜少許灌之

一生三日去驚邪辟惡氣　牛黄一豆許赤蜜棗少許研勻蘸之一日令尽為度

一斷臍濕腫不乾　清香油人髪灰調膏傳之忌水洗

一客忤　　鉄落即脚鏢打落　煎服

一客忤卒死　硃砂少一蜜合三和灌之

一驚忤不語或打僕恐血入心竅　硃砂末雄猪心血和丸棗湯下七丸

一夜啼腹痛　一方　牛黃少許乳汁化服仍書田字於臍

一方　前胡爲末蜜丸菽水下每一丸以瘥爲度

一胎寒好啼晝夜不止因成癇病　歸末一分以乳汁調灌之日三四度

一熱邪在心夜啼不止　乳香一分燈花一枚爲末調乳汁灌入兒口中

一方　朽木棺板燒明照之卽自止

一不尿腹脹　食塩安于兒臍中以艾灸之若臍四旁有青黑色及撮口者不治

一遺尿屬陰故小便不禁　一方　破固紙炒為末　每夜熱湯服五分　加烏藥

一方　桂為末　雄鷄肝等分　為末搗丸大　甘草頭煎湯夕夕服

一二便不通并驚熱痰窒欲通活者　大黃酒浸炒一ク

李仁去皮研一ク　活石一ク　搗和丸如米大　隨大小加減　白湯下

一尿血　甘草一ク　升麻五分　水煎服　一歲兒日一服

一大小便出血因熱傳心肺不可服涼藥　生地黃汁一匕　酒半匕　蜜半匕　和服

一吐乳乃胃熱　蚯蚓糞取田中者一ク研末　空心　米汁下　每一ク

一胃寒吐乳　白蔻　砂仁各十四ケ　生草　炙草各二ク　為末　常常摻入口中

一𪛊症　鹿角粉大豆末等分和乳汁灌之或塗乳頭令吮

一熱𪛊　牛乳二合姜汁一合銅器煎五六沸量兒大小服之

一久瀉脾虛食少米穀不化　朮半夏曲各二丁半丁為末姜汁与飯丸米汁量服

一下痢赤白多辰體弱　黄連水煎取汁蜜和服日五六次

一洞痢𣽔水瀉　側百葉煔汁代茶飲

一帯下赤白　鹿角灰髮灰等分為末温水調服

一腹脹　一方半夏製為末少許酒和丸姜湯下外以半夏炮末姜汁調貼臍上

一方父母指甲燒擦乳上令兒吮之

一氣癖痛　三稜煁汁作羹粥與奶母食亦以與兒食

新生及十歲以下無論癇熱痃癖等症皆治之秘效不能尽述也

一盤腸氣痛　一方乳香没藥等分為末以木香磨水煎湯調服立效

一腹痛霍亂　尿滓為末塗乳上令兒吮之

一霍亂吐瀉　土蜂巢即蚷蚷祖炒焦為末調乳汁服

一傷風身熱汗出拘急　丹皮半刄鼠屎二十丫炒為末每服ニツ漿水下

一風寒流涕　白芷末葱白搗丸如小豆茶下二十丸

仍以白芷末姜汁調塗太陽宂仍食葱粥取汗

一痰熱咳嗽驚悸　半夏南星等分為末牛胆汁和入胆內懸風處待乾糊凡姜湯下五凡

一喘咳痰熱自汗吐紅脉虛無力　人参天花粉等分為末蜜凡水調服

一熱咳　甘草二月以猪胆汁浸五夕夜研末蜜凡薄荷湯下

一潮熱往來自汗　胡黃連南柴胡等分酒水煎服

一壯熱煩渴頭疼　生地汁三合白蜜半合和勻辰辰服

一身熱心熱夜卧不安　苦参煎湯浴之石羔煅五ヮ硃砂一ヮ研末灯心湯下

一寒熱　冬瓜炮熟絞取汁飲之

一多熱　郁李仁嘉湯研日服二合

一瘧疾　鹿角生研為末未發辰以乳調一ッ服

一單瘧壯熱不寒　黄丹ッ二蜜水和服冷者用酒和服

一邪瘧　麝香研墨書去邪辟鬼四字於額上

一蛇蟲　苦練根皮同鷄卵煼羸空心服

一蛇蟲口流涎沫　史君子爲末米汁五更服一ッ

一目瞖漸大侵睛　雪白塩許ㄨ燈心煎點日三五次不痛不痾屢用有效

一目漩月内閉不開或腫羞明或出血者

甘草一寸猪胆汁浸炙為末米汁少許灌之

一目遊不開或出血　蒼术二ヮ入猪胆中水煨將藥氣薰眼後嚼而服

一赤眼　黃連為末水調貼足心

一腦熱好閉目或太陽痛或目赤腫川芎薄荷朴硝各二ヮ為末以少許吹鼻中

一目痛症　車前搗汁和竹瀝點之

一雀目方一　夜明砂炒研以猪胆汁和丸每下五丸

一方加黃芩等分為末米汁煮猪胆取汁調服

一閉目由胎中受熱　用四物加甘草天花煎服又以熊胆少許水洗之日七八次

一重舌木舌　茯龍肝末牛蒡汁調塗之

合之又以亂髮灰　茯龍肝末爲末芒硝和潤塗舌上日三次

一重舌欲死者　鉄鏽即鐵烈燒紅打下鏽研末水調ク一

一鵝口滿口白爛　枯礬ク一硃砂二分爲末每許次搽三日

一口瘡糜爛　硫黄末調塗手足心見效洗去

一鵝口白舌　芒硝擦舌上日五度

一口瘡不能吮乳　蜜陀僧爲末醋調塗足心愈瘡洗去

一口瘡　釜臍墨辰砂搽之又以細辛爲末貼臍上

一木舌彊腫　一方 硼砂為末生姜切片蘸擦少辰即消

一方 一白礬鉄上燒紅研與鹿角末調塗舌下

一木舌　蛇殼燒灰乳汁調服之　一木舌腫滿塞口危困

紅芍藥甘草水煎熱含　一重舌與重齶蛇蜕燒灰醋調傳之

一重舌鵞口　白芨為末乳汁調塗足心

一舌瘡乳不得　白礬研末與醋鷄子和匀塗兒足心

一重舌鵞口　硇硝同竹瀝點之

一初生口噤　牛口飴草即牛食草而復出者絞汁灌之

一七日口噤　牛黄為末以淡竹瀝化一字灌之又以牛乳滴之

一臍風撮口　艾葉燒灰填臍中以帛束之或隔蒜炙之

一方　姜蚕研末蜜調塗口内

一撮口舌上生瘡牙關閉不能乳　蜈蚣燒為末以豬乳汁調灌之

一撮口發噤　生甘草一ヶ半水煎灌之又以衣魚研末塗乳上令兒吮之若甚者以鹽填臍上炙之

一哮痰　螺殼向南墻上為末日出辰水調成日落辰拳手合飯吞之

一流涎　取東行牛口涎沫塗兒口中及頤上自愈

一喉癰蛾乳又名通開　白礬三月銅器內鎔化入剖開巴豆三粒煎乾去豆研礬以醋調灌之入喉立卽愈

一臍腫　荊芥煎湯洗淨以煨葱刮薄出火毒貼之

一臍濕不早治成臍風或腫赤或出水當歸胡椒並爲末麝少許傳之若愈尿入再傳

一臍腫爛成風　杏仁去皮研傳之

一臍腫多因傷濕　桂心炙熱熨之日四五次

一臍汁不乾　綿裹落下臍帶燒研一ㄅ入當歸頭末一ㄅ射一字掺之一方白礬燒灰傳之

一停耳膿不止　硫黄爲末和蠟作錠插之日二易

一方 一白礬燒灰蚯蚓焙乾爲末吹之

一白秃頭瘡　一方 一紫草煎汁塗之或雄黄爲末和猪胆塗汁之　一方 一鼠屎尾煆存性研末入輕粉麻油塗之

一耳上月割瘡　一方 一寡婦床頭塵土和油塗之 一方蚯蚓糞燒研調猪脂塗之

一風瘆作痒　白礬燒枯投熱酒中以馬尾濕酒塗之

一䭂瘡　大棗去核填入緑礬燒存性研貼

一濕瘡　地榆水煮取汁日洗二次

一面瘡掀赤腫痛　地榆八刃水煎温洗之

一月蝕生於耳後　黄連爲末傳之

一癬瘡疥　藁本煎湯浴之并以浣衣又以蛇床子杵末和猪脂塗之

一爛瘡　艾葉燒灰塗之　一鼻蝕　熊胆半分湯水化抹之

一軟癤　墻上白螺燒灰入倒掛塵等分油調塗之

一嗜土　黄土一塊爲末煎黄連湯調下

一羸瘦　甘草三刃炙焦爲末蜜丸温湯下每五丸日二服

一蒸熱脾虚少食羸瘦　苓术芍各一刃炙草半刃爲末姜棗煎湯下

一尸痓勞瘦或屎寒熱　鼈頭ケ一燒灰新汲水調服ワ一

一顖陷　川烏頭附子並生用ニワ雄黄八分葱根擣作餅貼陷處

一解顱　防風白芷栢子仁等分爲末乳汁調塗一日一易

一項軟乃肝腎虛尫耶襲之　大附天南星各二ワ爲末姜汁調貼天柱骨内服瀉青丸

一龜背　何首烏爲末以龜尿調貼背上

一齒不生　雄鼠糞兩頭圓者三七枚　八爵火許一日一枚拭其齒勿食酸物

一髮遲　陳香薷二月猪胆半月水煎薷取汁和匀日日塗之

一語遲四五歲未語　赤小豆爲末酒和傳舌下

一行遲　五加皮五刀牛膝木瓜各二刀半為末米汁入酒少許調下

一無故卒死　葱白納入下部及兩鼻孔中氣通卽活

一諸惡　古錢熠汁和諸藥服文字彌古者佳

一中蠱欲死　甘草半刄水煎服當吐出

一熱丹　白堊即坦塊皐一分寒水石半刄為末新汲調塗

一丹毒　蚯蚓糞伏龍肝多年者鷄子白心塗之乾又易

一火焰丹毒　石灰銅青銀硃調入鷄子白心塗之

一丹毒腫痒　陽起石煅研新汲水調塗

一諸丹熱毒　土硃青黛各ㄱ二活石荊芥各一ㄱ為末蜜水服每二ㄱ又以此外塗之

一老火丹　黃芩為末水調塗之

一或沉白丹　連芩栢木香各三分厚樸柳仁豆蔻共水磨隔水煁日三服

一丹瘤遊走入腹必死　白芷寒水石初發急以此二味為末生葱汁調塗

一丹毒從髀起流下陰頭赤腫出血　鯽魚肉五合赤小豆二合擣勻入水和塗之

一五色丹毒　鹿角燒為末猪脂和塗之

一胎驚　琥珀防風各ㄱ二硃砂半ㄱ以猪乳調一分入口最妙

又以硃砂磨新汲水調五心

一驚啼　黄芩人参等分為末水調每服一分

一方人髮燒灰乳汁或酒和服

一卒驚啼如似有痛處不知疾狀　雄鷄冠血少許滴口中即止

一熱驚　牛黄如杏仁大竹瀝姜汁各一合和勻與服

一驚啼發歇不定　麝香一分清水調服日三服

一驚啼狀如物刺　蝎皮三寸燒末傅乳頭與兒飲

一驚風内釣　胡椒木鱉子黒豆等分為末醋調荊芥湯下

一驚風不語　白烏骨雄鷄血醋少許抹唇上亀溺磨胸背即語

一急驚　青礞石磨水服　一急驚遠年者白螺殼燒灰八錢少許水調灌之

一慢肝驚風　土硃水飛以冬瓜仁煎湯調服每半匁

一慢脾驚風　白附子天南星各半匁黒附子並去皮爲末生姜五片同水煎服二匁

一慢驚瘈瘲定魄安魂　血竭半匁乳香一匁半同搗火炙糊

丸每服一丸薄荷湯下夏月參湯下

一急慢驚風痰涎壅盛呃塞咽喉命在須臾　青礞石

一匁硝硝半匁同煅過爲末急驚痰熱者薄荷汁生蜜化下

慢驚脾虛者木香八錢蜜化下半匁

一急慢驚風　五月五日取蚯蚓竹刀截作兩段急跳者作一處慢跳者作一處各研爛作二處入硃砂末和丸記明急驚用急跳慢驚用慢跳薄荷湯下每五丸

一胎癇　琥珀硃砂各少許全蝎一枚為末棗肉丸乳汁下每一丸或麥冬湯調下

一胎寒軀啼發癇　白礬半兩燒枯棗肉丸如米子乳汁調下每一丸

一天吊驚癇客忤　桑東行根絞取汁服

一驚癇　芥穗二兩白礬一兩半生半枯青黛為末糊丸硃砂為衣薑湯下

一傳方　芥穗三兩白礬一兩半生半枯糊丸每服二十丸荊芥湯下久年諸藥不效服此百中

一癇疾　一方鼈甲炙研末蜜丸或乳汁服每ヶ一亦可

一方鷄卵取黄入乳汁調服又羊肝切薄水洗和五味嚼食之

一驚癇嚼舌迷眛仰目　牛黄一豆許和蜜水灌之

一驚癇瘈瘲　虎胆熊胆以竹瀝化做两豆許調服

一驚邪癲癇　鉄落水煎磁石錬入飲之

一風痰癇疾　白礬一月生用細茶五ヶ蜜丸茶湯下久服痰從便出則断病根

一風邪癇疾　皂角燒存性四月蒼耳根莖葉乾四月佗僧

一月蜜丸硃砂為衣棗湯下每三四十丸稍退服二十丸

一驗治夜啼　神砂硃砂炒雄黄鬼見愁葜萎掠萸桃

男七女九混一叁門外内服神砂硃砂神燈花二衣研叁母乳令晃吮

一方犬糞要在三歧路或鮮或枯祢襖瀝褲蓮莌櫟水熇以葉盖塌口㸃之即止

一驗治单脹小便不通　蕒海柳籠平分炒黄煎服外

以萎海散叁臍中小便卽下

一驗治風痰湧盛　胆星一刃萊菔子五ソ為末芽皂煎膏糊丸朱砂為衣荷湯下

一驗治胎熱口乾生瘡發熱　活石一刃寒水石煆ハソ石羔煆七ソ青黛三ソ水凡燈心湯下

一方傳　治柴捻頭捻硒　茯苓甘草杏仁黃連石乳石冷曷帑狂水煎服

一方傳　治小兒驚癇　茣蓻茣蘢右二味小便爲湯巳經治神效

一方傳　治小兒膨脹　用藿香生姜煎湯酌之于鉢待

微温以橙寔末混入和勻去滓磨服之

疳病

一疳虫食土及生物　綠礬爲末猪胆汁丸加豆子米汁下每五丸

一疳氣不可療者　綠礬煅赤醋淬三次爲末棗肉丸温水下每十丸

一疳熱肚脹潮熱髮焦　胡黃連五少　五靈脂一月　雄猪胆

汁和丸米汁湯下勿用大黃傷胃必生他症

一肥熱疳　胡黃連黃栢等分各半刄硃砂半二ㄅ為末入猪胆汁内札封以箸子构懸於砂埚内漿水煮熟研爛入蘆薈麝香各一分飯丸米汁下五七丸

一疳積腹大黃瘦骨立頭生瘡結　立秋日後取大蝦蟆去首足腸以青油塗之陰陽瓦炙熟食之積穢自下連進五六枚

一五疳八痢面黃肌瘦好食泥土不思乳食　乾蟾蜍大一枚燒存性皂角去皮燒存性一ㄅ蛤粉水飛三ㄅ麝一分糊丸如米子空心米汁下每三四十丸日一服

一五疳潮熱肚脹髮焦　五靈脂水飛一刄胡黃連五ㄅ為

末雄猪胆汁丸米汁下　一切疳疾　夜明砂五ㄅ八尾
塀内以精猪肉三月切薄同入塀内水焅熟前食肉後飲
汁取下毒用黄連一月生姜炒糊丸服
一痞塊疳積　五靈脂炒煙尽阿魏等分為末黄狗胆汁和丸空心津液下忌羊肉醋麪
一諸疳　野猪胆水研棗許服
一諸疳羸瘦　熊胆史君子等分為末蒸餅丸米汁下毎三十丸
一脾疳　史君子蘆薈等分為末米汁服一ㄅ
一疳痢　地楡焅汁熬如飴糖服之

一疳痢垂死　益母嫩葉同米煮粥食或取莖煎飲亦可

一疳泄下痢　蝦蟆燒存性研服

一疳痢欲死　新羊糞一斤水二斤浸一夜絞取汁日午服

一疳瘡不愈　浮海石燒紅醋淬數次金銀二兩為末水煎服病在上食後服在下食前服

一疳瘡　艾葉一兩水煎服　一疳瘡成漏濃水不乾

羊骨塩泥封煅研末五分麝雄黃各一分填入瘡口三日外必合

一疳蝕鼻　雄黃葶藶等分為末以臘猪胆和搥枝點之

一口鼻急疳蝕爛臭腐　塩白麵等分為末吹之

一口疳弄走馬牙疳　黄連蘆薈等分爲末每蜜湯服

五分外以人中白煅黄栢蜜炙焦等分爲末入氷片少許以青布拭淨摻之

一口鼻蝕穿透頰唇疳　銅青銅緑枯礬各平分人中白一ワ研傳之

一風虫牙疳膿血有虫者　輕粉一ワ黄連一ワ爲末摻之

一牙疳　雄黄一ワ銅緑一ワ爲末點之

又方　氷片芒硝青黛黄栢薄荷平分散以枚塗之

一牙疳臭爛　桔梗茴香等分燒研傳之

一走馬牙疳　銅青活石杏仁等分爲末摻之

一牙痈出血　鯽魚（一尾去膓留鱗）入歸末（過鹽少許泥封燒存性和匀用加煅）

中毒

一中毒藥煩悶欲死　東壁土調水（三斤）頻飲

一解輕粉毒齒縫出血臭腫者　貫衆（黃連各半兩水煎取汁入冰片少許頻服之）

一解巴豆毒下痢不止　黃連葛根乾姜（等分）為末水服

一方加大豆菖蒲汁服之　一解烏頭附子天雄毒（防風煎汁飲之）

一解砒毒　欝金白芷為末入蜜少許冷水調服

一解毒箭　大豆煎取汁八盞服　一方石螺去殼多呑之

一解諸藥毒已死若心間猶煖救之　防風擂冷水（灌之）

一解中諸毒　石羔半斤燒半日淨地坑覆濕土填之一夕取出入甘草天竺黄各二兩龍腦二分糯米汁丸蜜水磨下

一方黄連黑豆甘草煎服

一中諸虫毒及六畜肉毒　伏龍肝傚一鷄子和水服吐即觧

一中諸虫毒及蠱毒　雄黄生礬等分端午日研化蠟丸如梧子每服念藥王菩薩七遍温湯下每七丸

一蠱毒藥毒　甘草節真麻油浸之年久愈妙或煎或藥服

一中蠱毒吐血或下血如臓者　塩一斤苦酒一斤煎服得吐即觧

一中蠱下血如鷄肝日夜出血石餘四藏皆損惟心或鼻破將死者　苦桔梗犀角等分為末酒調服每一匕日三下如不能服排口灌入則心中當煩立安七日止當食猪肺肝以止之

一飲食中毒　一方硼砂甘草各四兩香油一斤埒內浸之値有毒者服一小盃

一方雄黃青黛等分為末新汲水調服每二匕

一食中牛馬自死肉毒　甘草煎酒服取吐或下即解如有渴亦不得飲水飲之即死

一中魚肉菜等毒　苦參三兩苦酒一斤煎服

一切食毒　縮砂仁為末水調服二匕

一中蟹毒　紫蘇煯汁飲二斤

一中酒食毒并魚毒　大豆一斤煯汁服得吐即解

一中食鷄子毒　醋飲少許即消

一中食自死諸肉毒　黄栢為末清水調一匕服立安末解再服

一誤或吞食髮梗咽中　蜜梳即累秘自己亂髮並燒灰和酒水服之

一中諸蟲毒因誤食毒發　白礬建茶為末新汲水下二ツ得吐或瀉即效未吐再服

一誤食水蛭噉臓腑血膓痛黄瘦　牛血或羊血熱飲

一二斤次早化猪脂一斤飲之蛭即下

一瀉虫凡治遇毒藥生諸症神效　西商陸生於路旁橘下見如形人乃有神也取根日升在東降在西忌鉄為末糊丸如眼大每服二丸茶湯下或煎服亦可

骨鯁

一誤吞竹木　鉄秤錘燒灰淬酒飲之

一魚骨硬　硼砂一塊含化嚥汁恍然而失一方好蜜稍稍服之令下

一諸骨硬　白芷半夏等分為末用生艾酒水煎取汁調服

一方一以舌書清水鉢中龗𩆐𩇔雫其骨化丹坵剌子午决及病人本命决于水鉢中飲之

一誤食金銀及錢　粉錫一月猪脂調分二服令消爛出

一誤吞鉄針　真磁石做如棗核鑽孔綿穿吞洩之立出

一誤吞銅錢近死　艾蒿一把水煎久頓服

一誤吞金銀銅錢等物不化　砂仁水煎久飲之即下

一鷄魚骨硬　苧麻根練凡遇何物硬用此骨湯下或搗汁灌之亦可

一獸骨硬咽　虎骨為末水服一匕　一方象牙磨水呑之

諸酒方

一五加酒去一切風湿痿痺壯筋骨塡精髓　五加皮洗去骨切碎加當歸牛膝以袋盛浸酒煑飲

一薏苡酒去風湿健脾胃塡精髓強筋骨　好薏苡仁粉袋盛煑酒飲之

一牛膝酒 壯筋骨治痿痹補虛損除水瘧 牛膝切碎袋盛浸酒煮飲之

一當歸酒 和血脉堅筋骨止諸痛調經水 浸法如前

一菖蒲酒 治三十六風十二痹骨痿通血脉久服聰明 浸法如前

一枸杞酒 補虛弱益精氣去冷風壯陽道止目淚健腰脚 枸杞擣爛同熟地袋盛浸酒煮飲

一山藥酒 治諸風眩暈益精髓壯脾胃 山藥同山茱五味人參酒浸煮飲更妙

一菊花酒 治頭風明耳目去痿痹消百病 菊花同地黄當歸枸杞煮更佳

一茴香酒 治腎氣痛偏墜牽引心腹痛 小茴香浸酒煮飲

一縮砂酒 消食和中下氣止心腹痛 砂仁炒研浸酒煮飲

一百部酒 能治一切久近咳嗽病　百部根切炒浸酒飲

一鹿茸酒 治陽虛羸弱小便頻数劳損諸虛　鹿茸同山藥浸酒飲

一虎骨酒 治臂脛疼痛節凡骨虛膀胱寒痛　虎脛骨一具炙黄研末浸酒飲

附酒病

一酒熱面赤　冬霜飲之

一飲酒過度成癖頭旋惡心嘔吐　雄黄大六分巴豆十五个蝎稍十五个同研八白麪五兩半水丸將乾八麪内炒香以一丸放水試浮則取起收每服二丸温水下

一酒毒目盲其人形寔好飲熱酒致傷胃氣汚濁血死故忽病目盲　蘇木水煎汁入参末ケ一服次日鼻及兩

掌皆紫黑此滯血行矣再以四物湯加桃仁紅花蘇木陳皮調人参末服效且奇

一解中酒毒恐爛五臟　芽根汁飲一斤

一酒毒生疸有一婦嗜酒胸生一疽脉緊而濇　人参大黄酒炒等分爲末姜湯調服一ㄅ睡汗卽愈

一酒疸　茵陳蒿四根梔子七个爲末大田螺一个搗爛八二末以百沸白酒一大盞冲汁飲之

一酒積下血　馬鞭草白芷並燒灰一ㄅ蒸餅凡米汁下每五十凡

一酒疸發黄心懊痛足脛滿　芫花椒目等分燒末水服每半ㄅ日二服

一酒痰咳嗽（用此救肺）瓜蔞青黛（等分）爲末姜汁蜜丸每含一丸

一飲酒發熱　瓜蔞青黛熬膏日食數匕

一中酒嘔逆　赤小豆煮汁徐徐飲之

一酒積黄腫　五靈脂（一兩）爲末入麝（少許）飯丸米汁下一丸

一飲酒成泄骨立食減但飲即泄　鹿茸（酥炙）蓯蓉（煨一兩）

麝香（一分）爲末白米飯丸米汁下每五十丸

一解飲燒酒醉死　井花水浸其髮外以故帛濕浸貼胸仍細細灌之至甦乃已

一酒醉不省　黄菊花九月九日採爲末調生葛根汁飲二升

一使飲酒不醉　凡飲酒先食韲一匕則後飲必倍

一止嗜酒　蒼耳七枚燒灰投酒中飲之

一斷酒不飲　酒七斤硃砂半兩塀浸封固安猪圈內任猪搖動七日取飲

諸粥方

一赤小豆粥 利小便消水腫脚氣辟邪疫　一綠豆粥 解熱温止煩渴

一茨仁粥 除濕熱利腸胃　一蓮肉粥 健脾胃止泄痢

一芡寔粉粥 固精氣明耳目　一麥粉粥 益腸胃解內熱

一山藥粥 補腎精固腸胃　一蘿蔔粥 消食利膈化痰

一芥菜粥 豁痰辟惡　一韭菜粥 温中煖下

一茯苓粥 清上寔下　一棗仁粥 治煩熱益胆氣
一枸杞粥 補精血益腎氣　一生姜粥 溫中辟邪
一葱豉粥 發汗辟肌　一茴香粥 和胃活病
一胡椒粥 治心腹痛　一麻子粥 潤腸治痺
一蘇子粥 下氣利膈　一牛乳粥 補諸虛症
一鴨鯉魚粥 消腫利便　一鹿膠粥 補腎虛諸疾助元陽
一諸羊鹿腎粥 補腎虛諸疾　一羊鷄肝粥 補肝虛明目
坤卷終 清義奉書